ほしのこえ 星之声

The voices of a distant star

新海诚 原作
大场惑 著
边西岩 译

目录

我呢，怀念好多东西
比如夏天的云，冰凉的雨
秋天风的味道，春天土的柔软
半夜里便利店带来的安全感
放学后冷冷清清的空气
黑板擦的味道
半夜里听见卡车远去的声音
阿升，这些东西
我都好想可以和你一起
一直一直一起感受下去

有些东西在旁人看来可能一文不值，但对本人来说却非常珍贵。

那东西可能已经用了很久了，什么时候扔掉都不会觉得可惜。搞不好老早就已经不好使了，早该淘汰下岗了，可在本人看来它却装满了难以割舍的回忆，是无可替代、举世无双的宝贝。

对我来说，这个旧手机就是这样一个珍贵的宝贝。它是十几年前的型号了，我想在全日本恐怕也找不到第二个还在用这款手机的人了，我只知道它一定老早就过了使用年限。

其实最近两年我并没有用过它的记忆，它是不是还能用也令人怀疑。现在我只是像个护身符一样随身带着它，已经不再有机会用到它了。可就是这部手机，过去曾经无数次帮我收到最重要的人发来的邮件，而且是从令人难以置信的遥远的地方发来的邮件。它装满了我和那个最重要的人之间，那些略带苦涩而郁郁寡欢的记忆。

我叫寺尾升，今年二十七岁，是个通讯工程师，现在宇宙工作。

2046年7月　放学后

那天的长峰跟平常有些不同，我却完全没有察觉到。

不，虽然这听起来可能有点像辩解，但至少那天在放学后我们经常见面的地方，那个楼梯的拐角处，和往常一样在那里等着我的长峰，她的样子没有让我察觉出有任何的异样。

对了，过后一想，好像她当时确实有点微妙的情绪高涨。长峰美加子总的来说是个性格稳重的女孩，身材也属于比较娇小的那种，长相并不是班里数一数二的美女，是个不太引人注意的存在。可是，和外表不同，她是个内心很坚强的女孩。关于这一点，和她在同一个剑道部整整两年多，在她身边看着她练习的我，恐怕比任何人都再清楚不过了。

说到剑道，虽然她掌握的不是那么快，但她比其他人都更热衷于练习，所以不知不觉中水平就慢慢提高了。跟她一起练习的其他女孩子，都会因为练习太辛苦和冬天体育馆那宛如冰箱一般冰冷刺骨的地板而叫苦不迭，还没熬到第二年春天就一个个退出了。可长峰她却没抱怨过一句，努力坚持下来了。

功夫不负有心人，二年级第二学期的时候长峰当上了剑道部的副部长。和我这个虽然很想推卸给别人，却无奈受了顾问钦点而只好极不情愿地接受了部长一职的人比起来，长峰才应该受到更高的评价才对。

副部长一职只是徒有其名，实质上长峰后来就退居幕后，干起了类似社团干事的差事。因为不管怎样，剑道部的女生部员就只有长峰一个人能待到最后，即使有新人加入，也无法凑足报名参加团体赛的人数，所以她的身手从来没有在正式比赛中展现过。

对于如此命运不济的长峰，我心里觉得十分过意不去。按理说她应该很生气地说："开什么玩笑！要洗自己洗！"把堆积成山的充满汗臭的脏衣服朝我们劈头盖脸地丢过来，一气之下向我提出退出申请，然后扭头就走才对。可是，长峰却从来没有一句牢骚，一直默默地为剑道部做着努力。

正因为这样，虽然我从来没说出来过，但心里对长峰十分感谢。

真的十分感谢。之所以没说出口，是因为面对面说这种话总有点难为情。而且一旦就只剩下我和长峰两个人的时候，这种一本正经的话也就不必刻意去说了。

我和长峰从不聊很深刻的东西，说的都是一些微不足道的小事。比如今天在学校发生的事情啦、昨天在电视剧里看到的情节啦，我只要专心做个听众就好，都是她一个人滔滔不绝地说给我听的。可是，我并不觉得痛苦。我不知道换成其他女孩子会怎样，我觉得长峰好像并不是那种话很多的人，甚至可以说是个沉默寡言的人也说不定。要不然，我也不会每次都一脸呆相地被埋伏在那里的她抓住了。

对的，那天的长峰给人的感觉好像是比平时话多一些。

可是，她又好像是在故意绕开某个话题那样心神不定，不停地换着话题，让人应接不暇。

下午的阳光，从大敞四开的窗子肆无忌惮地照进来，倾泻在楼梯转角的那面墙上。长峰轻轻地靠在那儿，等着上完了英语补习课累得筋疲力尽的我从上面走下来。

“阿升，你期末考试考得怎么样啊？”

长峰用一种听起来有点高亢的声音问道。

“除了补习科目以外的都应该还行吧……长峰你呢？”

“长峰全部搞定喽！”

“那么，我们还能上……”

“同一所高中！”

很开心地说完这句话之后，长峰又好像没什么信心似的加了一句："嗯，一定可以……"

我擅自理解为，这句话铁定是为了照顾我的情绪才故意加的。虽然也不是说我完全不窝火，但还是决定当做没听出来处理了。

和成绩上下波动起伏很大的我不同，长峰的成绩一直很稳定。虽然也没有优异到让人瞠目结舌的程度，但几乎没发生过大的失误。其实剑道部的活动一直很忙，她应该没有什么时间学习的。可能她就是表面上看不出来，但关键时刻就能爆发出超强突击力的那种人吧。

如果这个状态可以一直保持下去的话，我想她应该很顺利就能考上她的目标城北高中。如果要跟她去同一所高中，我必须拼命努力才行。说真的，心里有点没底。

我和长峰一起走下楼梯，往校舍后面的自行车存车处走去。

途中我想象了一下上了高中之后长峰穿着制服的样子。城北高中按成绩排名是学区内排名第二的升学名校，可如果说到知名度，那绝对是首屈一指、根红苗正的传统名校。没记错的话，应该两三年前刚迎来了建校一百五十周年。

所以无论是校舍还是校规，这学校所有的一切都很古朴，制服也不例外。什么时候确定为现在这种款式的已经无从可知了，可是眼看着二十一世纪都要走完一半了，他们却还顽固地坚守着男生穿立领校服，女生穿水手服。当然了，所有的一切都依照旧例，这也不是城北高中这样的老古董的专利，都是因为之前多鲁米斯人袭击带来的余波至今还没有散去啊……

不，多鲁米斯人袭击那事就随它去吧。

因为打我记事时起，这个世界已经形成了这样的体制。

地方和国家预算的绝大部分都被一分不剩地消耗在和多鲁米斯人相关的事情上，能用在公共事业上的钱都微不足道，仅仅够个维修费用而已。公路、桥梁、铁路、公交线路、学校、医院、派出所、消防局等等，一切的一切都还是原来的老样子。就好像时间已经停止了一样，五六年过去了，城市没有发生任何变化。也就是说，可能是因为一直处于这样一种全民动员的状态下吧，当这个情况长期化之后，一切都变得理所应当了，人们已经感觉不到有任何的不适了。

话题扯远了。

刚才说到长峰穿着水手校服的样子。

长峰穿着会不会好看呢？

想象不出来啊。

一年后，十五岁的长峰，个子有没有长高呢？

还是说，还和现在一样小小的呢？

学校允许骑车上学的，仅限于家住在比较偏远的个别区域的学生和早上要进行晨练的社团成员。

所以按照规定来说，我已经不可以再骑车上学了，但我没理那套。关于这个问题，长峰就比较较真，或者说有点死心眼儿。自从把副部长一职让给低年级同学的第二天起，她立刻改成走路上学了。托她的福，跟她一起回家时我也只好陪着她推着车走了。尽管我说我骑车带你吧，她也绝对不会在学校附近坐我的车的。

我总是配合着长峰的脚步，一路漫无边际地聊着那些有的没的的话题，不惜绕远路走回家。对于分秒必争的高三考生来说，这真是不可理喻的浪费，但我却相当地乐在其中。

我推着自行车走出校园。

体育场上足球队的队员们一边欢呼着一边追逐着足球在奔跑。太阳已经偏西了，但暑气却丝毫未减。干透了的地面上蒸腾出的热气，笼罩着那些队员们。

那些正在比赛的队员们，被热气的旋涡吞噬下去，好像要融化的奶酪一样，看上去都是软软的、歪歪扭扭的。明明应该是十分敏捷的动作，却给人一种像看慢动作回放一样的缓慢感。

好像连我们也要变成即将融化的奶酪了。为了躲开这热气，我们选择从校园边上那些灌木丛的树荫里向校门方向移动。长峰不断地跟我搭着话，可是她的声音好像也被热气融化了一样，在传到我的耳朵之前已经消失得无影无踪了。

长峰好像对如此难以忍耐的暑气毫不介意，她还继续流畅地跟我说着话。而我费尽九牛二虎之力含糊地应答着。突然，一个和长峰的声音以及足球队员们的欢呼声显然是不同音域的声音一下子响彻我的鼓膜。

是那种让人全身震动的沉重低音。

那声音从天而降，摇动着大地。追逐着足球的队员们都停下了脚步，大家不约而同地抬头看着天。

"哇！"

跟着大家抬头望向天空的我，惊叫声稍稍慢了半拍。

那家伙，轻轻地浮在异常晴朗的蓝天上，看上去像一朵小小的浮云。

"宇宙飞船……"

长峰也发现了，好像很晃眼地抬头看着天上。

"这是星际宇宙战舰'里希提亚'号……是联合国宇宙部队最先进的战舰……"

它纯白而光滑。线条优美的外观让它看上去并不像是个钢铁铸造的东西，而更像是某种柔美的海洋生物。

这艘实现了业光速航行的梦幻般的宇宙飞船，正在大气圈里充满自豪地、缓慢地、优雅地飞着。

在两三周前确实播放过相关的新闻，说作为招募机组成员活动的一环，“里希提亚”号已抵达日本。可话虽如此，据说是停靠在某个宇航自卫队基地里尚未向媒体公开的“里希提亚”号，就这么毫无先兆地、活生生地突然出现在眼前的瞬间，说实话还真是吓了一跳。

选拔会场应该就设在基地里面吧。

可能亲眼看到了实物，志愿者的热情和士气都会得到鼓舞吧。可是，让人不解的是，虽说对外宣传是社会公开招募，可报名的方法也好、选拔的标准也好，一切都没有明确公开。关于选拔成员，我所掌握的唯一的信息就是日本人所占的比例。听说这是根据对多鲁米斯人计划出资的比例，在招募的一千个机组成员当中，日本人应该占两百二十人。

“‘里希提亚’号的出现，是不是说成员选拔已经结束了呢？”

关于“里希提亚”号的事情，在班里的男生之间成了议论的话题。

哪怕只是受其雄伟外貌的迷惑，抱着不管三七二十一先上去了再说的心态，还真有几个人当真想去应征呢。不过，就算是选拔标准并没有公开，任谁都知道初中生肯定不在范围内的。

尽管如此，对于血气方刚的初中生来说，能够驾驶宇宙飞船确实是令人向往的。而且被选为肩负国家使命的成员，这绝对是不同凡响的荣誉。还不止这些，据说待遇也很好，说是可以保证拿到跟当红偶像差不多的年薪，各种流言说得煞有介事，可能报名应招者蜂拥而至也不奇怪吧。

可是，为什么要进行公开招募呢?

就算是一千人规模的考察队，但如果由联合国宇宙部队各编制国目前的宇宙军来提供专业人才的话，这应该是一个很容易就凑得出的数字。

唉，关于这个多鲁米斯人计划或多或少地充斥着各种神秘的谜团。其实我知道，一个初中生就算提出什么疑问，也不可能得到任何的答案的。

“我粗略地算了一下，也就是每个县出四五个人的事啊，搞不好我们这个城市也会有一个人被选上吧……”

这个被选上的人，也不知道到底是幸运呢，还是不幸呢？说实话，这个我也搞不清楚。

我回头看了一眼长峰，她“嗯”了一声，给了我一个不知道是肯定还是否定的暧昧的回答就低下了头。

“是啊，长峰你应该没啥兴趣的啊，对这种事。”

我敏感地察觉到周围的空气开始变得尴尬，便立刻换了个话题，希望能够打破僵局。

“我们去便利店吧？”

“嗯，好的。”

出了校门，这样有一搭没一搭的对话又持续了一阵子。

为了避开“里希提亚”号这个话题，我尽量不往天上看，低着头走着。

走到JR的铁道路口那儿，我们被拦截杆儿拦了下来。从四面八方传来了犹如阵雨般的蝉鸣声，重叠着拦截杆儿放下时发出的尖锐的“当、当……”声。

这简直就是刺激我们的神经让酷暑加倍的各种音效大汇演——不，还有一个声音。

那是从我们头顶重重压下来的重低音。我刚想抬头看，急速通过的集装箱列车挡住了我的视线。哐当哐当，哐当哐当——再次敞开的视野中，“里希提亚”号就在正对面。比起刚才，它的高度一口气下降了好多。它现在到底飞在什么高度上呢？没法掌握这种距离感。即使这样，恐怕它也是在一个很高的高度上飞着吧。就算是变大了很多，看上去也只有铅笔盒那么大。

这样一会儿升高一会儿降低，他们是在做飞行训练吗？

他们是为了接上各地选拔的成员，而在进行全国巡游吗？

“走吧。”

长峰拽了一下我的衬衫袖子。

拦截杆儿老早就升起来了，警报也停止不叫了。

虽说是放学之后的闲逛，初中生的活动范围还是很有限的。

社团活动结束后能暂时满足一下我们那饿瘪了的肚子的便利店，对我们这些初中生来说，绝对是为数不多的圣地之一。总是那个时间，总是那家便利店，收银台前面排起看着脸熟的队伍，还有那热闹的聊天声。可是，自从退出了社团，这个热闹的场面突然变得让人郁闷了。所以，我们现在都故意岔开放学回家的那条路，故意绕去远一点的便利店。

而且选在早就过了放学的时间，但离社团活动结束还有段时间的微妙时间。客人很少的店里鸦雀无声，也不会遇到脸熟的人。这种稍稍让人感到有点内疚的、带有一点秘密味道的释放感，给人一种无法抗拒的愉悦。

于是，我们先是悠闲地在店里绕上一圈，然后站着翻翻漫画杂志喘口气，然后再绕一圈开始慎重地选择，拿下我们的目标。其实退出社团后我们已经摆脱了肚子饿瘪的状况，所以选择的东西往往都是一瓶冰镇果汁之类很节制的东西了。

“去哪儿呢？”

出了便利店我抬头望向天空。这么短的时间里“里希提亚”号已经不见了，取而代之的是黑黑的乌云逐渐低垂笼罩着天空。

“去公车站吧。”

“嗯，走吧。”

我们要去的地方是一个叫做“台阶上”的公共汽车站。

半路上乌云的走势越发诡异，宛如夜晚突然降临，周围一下子变暗了。转瞬，大颗的雨滴突然从天而降。

“快跑！”

干透了的柏油马路刚刚还好像上面浮着一层白粉一样，一瞬间就被黑色的圆点覆盖了。我们被傍晚的骤雨敲打着，全力奔跑。

“全浇湿了啊！”

从结果上看，刚才决定去公车站休息是非常明智的。公车站旁有一间专门用来给大家候车的带屋顶的陈年小屋，现在用来避雨最合适不过了。

一跑进小屋，长峰扑哧一声笑着坐在长椅上，气还没喘匀便把完全淋湿了的鞋子和袜子脱了。按理说我早就看惯了女生制服短裙下露出来的光腿，应该具有免疫力了，可是如此近距离地看到长峰的脚，连脚趾尖都清清楚楚、全无防备地暴露在我面前，这还是第一次。我不禁心动了一下。她的脚白皙得让人有一点点伤心，纤细得让人有一点点心疼。

小屋里没有其他客人，就这样被我们独占着。我们无言地望着越下越大的雨，往干渴的喉咙里灌着冰凉的果汁。

可能，这里不会再有客人来了。在这个公车站，不管你等多久都不会再有公共汽车来了。尽管它还叫公车站，但实际上几年前这条线路就停运了。也不是因为这家客运公司倒闭了，而是出于经营的合理化，对线路进行了重新调整。对我来说这个打击相当大，连公共汽车都不通了，这像话吗？我还以为我们住的这个镇子是个大城市呢。

可是连公共汽车都不来了，为什么这个公车站和这个小屋还保留着呢？

难道这家公司连拆除的费用都舍不得吗？要么就是附近居民提出来留下它，正好可以做个路标。到底为什么我也搞不清楚，但我听说白天这里就会变成深受小野猫们喜爱的聚会场所。

不管是因为什么原因，当我们待在这个小屋里，就会产生一种错觉，好像时间都停止了——不，应该说时间都开始倒退了。真的，好像只有这里已经回到了平成时代——不，应该是昭和时代的后期。

“长峰，你上了高中还要继续练习剑道吗？”

我望着暂时安静下来的雨，问道。

“是啊，要不要继续呢……”

“你挺有实力的，不练就可惜了。”

“可是，我和阿升你不一样，也没取得过什么好的成绩，剑道，有点够了……”

“所以我才更希望你能继续练啊！城北高中的剑道部办得很好，女生部员也多，你去了那边一定会取得很好的成绩的……”

“可是，我本来也没想引人注目什么的……而且，初中的社团活动，我已经觉得很开心了……”

“就帮我们洗衣服什么的吗？”

“嗯，洗衣服啊、给你们加油啊……先别说我了，阿升你会继续练习剑道吗？”

“当然。”

“哦？你这么说，只是想和我加入同一个社团是吧？”

长峰用调皮的眼神看着我说道。

“你这家伙在说什么呢？”

被她猜对了一半。我慌慌张张地想要掩饰，结果她得意洋洋地笑了，好像在说这局我又战胜你了哦。

雨后的小镇，好像重新活过来了一样，均匀地呼吸着。

我骑车载着长峰，用全身感受着凉爽的空气，在暮色渐浓的街道上踩着脚踏板。

并不喜欢两个人骑一辆自行车的长峰，难得今天毫不犹豫地就坐上了后座。

长峰现在是什么样的表情呢？她的双手轻轻地搭在我的肩上，我可以透过半干的衬衫微微地感受到她的体温。

“天空好漂亮啊！”

我们抬头望着火烧云映红的天空。

云、高层公寓、电线杆，所有的一切都闪着茜色的光。

本应该是看惯了的风景，可现在却宛如初来乍到的陌生地一般看上去都那么新鲜。如果可以的话，真希望时间就此停止在如此美丽的风景之中。我仿佛变成了诗人一般突然意念一闪。可是，这样美好的幸福时光并没有持续很久，那个令人不悦的重低音再一次从头顶压了下来。

这次的声音更加强烈了，让我汗毛倒竖、不寒而栗。实在无法视而不见，于是我刹车停止了蹬踏板。我抬头环视上空寻找“里希提亚”号，可是哪里都没有它那雪白优美的身影。

这时，就好像从我头顶和背后掠过一样，一个白色的物体出现了，并填满了我的视野。

“里希提亚”号超低空呼啸而来。

“好大！”

我像傻瓜一样张大了嘴，脱口说出未经思索的一句。除此之外，已无法做出其他反应了。

一瞬间我以为“里希提亚”号就要把整个天空都遮住了，没想到它却突然以极快的速度向前方飞走了。就在它临飞走之前，从它的左右两侧有黑色的物体弹射出来。每侧各五个，正好十个物体沿着各行其道的轨迹，追随“里希提亚”号而去了。

“是追迹者！”

“里希提亚”号装载的追迹者，是外观呈人形的载人侦察机，据说是为了考察火星而开发的。搭载在“里希提亚”号上的追迹者是次世代最先进的机型。海陆空自不用说，即使是在宇宙空间里，它也可以自由自在地移动、旋转，是万能的机型。有传言称在它的身上很多地方都应用了多鲁米斯人的技术。

“啊，果然是已经开始培训操作员了啊。”

我忘了长峰就在身边，望着追迹者的轨迹看入了神。

我曾经很自然地认为有些事跟自己是完全没有关系的。比如火星考察队的悲惨结局，以及那之后连续出现的多鲁米斯人袭击、多鲁米斯人考察队，以及考察队成员的选拔等等，现在突然感觉这些事都带有一定的真实感了。

就好像也要去追赶“里希提亚”号一样，我再一次开始用力蹬自行车的脚镫——就在这时，

“阿升……”

长峰把身体靠向我，她的发梢垂落在我的脖子上，我知道她把脸靠过来了。

她的呼吸就在我耳边，接下来她要说什么呢？我开始紧张了。可是，接下来从长峰嘴里说出来的话，大大地超出了我的想象。

“我呢，要去驾驶那个了哦。”

理解长峰这句话的含义可能只用了不到五秒钟的时间，但在我的主观感觉中，大概有两个小时左右我的意识是——混乱。

我已经记不得自己是按照怎样一种逻辑顺序来正确理解事态的发展以及接受这一事实的了，但最初一定是“你在开玩笑吧？”这种最现实主义的反应。毕竟这种好像玩笑一样的话让我去相信真的有点难。

因为长峰她只是个初中女生，而且在体力和智力上都并没有什么过人之处。为什么，为什么一定要选这样一个平凡的初中女生来驾驶追迹者呢？

关于整个选拔的过程，长峰本人的解释也让我有点不得要领。

“你去报名了吗？”我只好直截了当地问了，当然她并没有。好像是在六月份的第一个星期六，防卫省的代理人造访了她家，并和她父母一起劝她说：“请你一定要参加选拔考试啊。”从这前后的情况来看，我觉得这事她父母应该是事先就得到通知了。

可是，选拔考试的会场好像是设在宇航自卫队宣传部的埼玉分部。本以为会有很难的智力考试和体能测试在等着她，没想到实际上只是在五位面试官面前进行了很简单的面谈，所谓的选拔考试不到十分钟就结束了。“让人好失望啊！”长峰笑着说。可是，这根本就不可笑。

“还有其他什么人去接受考试了吗？”

“当时去考试的就只有我一个。”长峰回答说。

而且，考试合格的通知很快就从天而降了。

“稍等一下——”我需要十秒钟的思考时间把事情从头理一下，然后我问道，“这事儿，我们没有拒绝的权利吗？”长峰用一副呆呆的表情，好像在说别人的事一样回答我说：“这个我从来没想过唉……”

作为紧急事态法的特别条款，五年前国会决议通过的《多鲁米斯人特别法》中规定——“关于由国家参与的与多鲁米斯人相关的所有计划，所有国民都有义务尽可能予以配合”——啊，看来果然是……

如果对方搬出了法律条款恐怕就只能服从了，可是我还是无法接受。无论怎么想这都是不讲道理的。当我对事态大致了解到一半的时候，就越发感到气愤了。当然，这其中也有长峰她一直瞒着我这个原因。这么重要的决定，她竟然完全没跟我商量……

“因为，他们说这事需要保密。穿着黑衣服的代理人反复提醒我说，如果说出去了会给后面的选拔工作带来影响，所以就连入队报到的日期也绝对不可以跟任何人说。”长峰的眼神看上去有点难过。虽然报到的日期还很远，但她实在是瞒不下去了，才告诉我的。

“你可千万不要跟任何人讲哦！我不喜欢搞得满城风雨的……”好像长峰跟要好的女孩子们也没有讲这件事，只是给了我特殊待遇。察觉到这一点我还是很开心的，可是一想到长峰今后的状况，就没办法单纯地开心了。

我很神经地把自己能想到的问题都问了一遍，天已经彻底黑了才把长峰送到她家所在的高层公寓。“总之要小心身体啊！”当我露出很凝重的表情时，长峰说：“现在告别也太早了吧！”结果我被嘲笑了。

我感觉此时的她已经有了大将风度。

长峰家住的公寓是幢超高层建筑，而且她家就在最接近顶层的地方。我每次去送她都只送到大堂门口那里，当然也从未被邀请去过她家。回头一想才发现，我也不认识她的爸爸妈妈。听说她爸妈都在县政府里工作。再有，就是我知道她是个独生女。我和长峰小学并不是同校，初中也是到了三年级之后才同班。这么说来，我一直觉得自己很了解长峰，但其实有好多事我都不知道。

从长峰家的公寓回家的路上，我一直为自己不知道长峰爸妈长什么样而感到焦虑。因为我实在无法想象他们是用怎样的表情来接受长峰即将入伍这件事的，是喜笑颜开地进行祝福了呢，还是愁眉苦脸地进行了安慰呢？

整整一晚我都在想事情，就别提考试复习了，连觉都没睡着。我不知道明天在教室里该用什么样的表情跟长峰见面。不管怎样，离放暑假已经没有几天了，保守这个秘密应该不是特别难。

我最后思考的事情是，我可以做些什么。

我想了自己到底能为长峰做些什么。在思考具体该怎么做的时候，我发现对于长峰即将加入的这个多鲁米斯人考察队，我所了解的知识过于贫乏了。

虽然我可以去学校的图书室查阅相关的资料，但我已经等不到明天了，于是就用手机访问了信息服务网站，一点点开始收集相关的信息。可是无论我在哪里进行怎样的检索，都找不到选拔成员的标准。我找到的只是在多鲁米斯人考察之旅开始之前，对选拔成员进行的培训将于明年春天在火星基地进行。

火星！

长峰她，要去火星！

我越来越觉得不真实了。

她不过是开玩笑逗我的吧。

可是，长峰不是那种会开玩笑的孩子，她一定会去火星的吧。

那么，去了火星之后她会被带到哪里去呢？话说所谓的多鲁米斯人，他们一开始都是从什么地方来的呢？

是的，我当然知道，正是因为不知道这个问题的答案，又想知道这个问题的答案，才组织了考察队。可是，自从那个多鲁米斯遗迹考察队的惨剧发生之后，别说地球了，就连火星上都再没有看见过多鲁米斯人的身影。那么，我们还有必要多此一举地非要去探索他们的行踪吗？

而且，去寻找根本都不知道在哪儿的异星人，这种旅程要持续到什么时候呢？作为考察队队员被派出去的长峰，什么时候才能回到地球呢？

白天长峰那些言行举止的真正含义，到了这个时候我才一点点明白过来。

还说什么能去同一所高中，在我成为高中生的时候，长峰已经去了遥远宇宙的另一边了。在宇宙当中，一定既没有高中也没有剑道部，就连回家路上值得绕远去逛逛的便利店都没有。我终于注意到这些司空见惯的事。

不过，这旅程不会持续一辈子的，长峰她一定很快就会回来的。

一定很快！

很快是多久？

高一的时候？

还是？

就别提什么表情了，第二天我顶着一张严重睡眠不足的脸去了学校。

可意外的是，教室里并没有长峰的身影。那天，长峰没来学校。我很担心她是不是被昨天的雨淋湿而感冒了，下课时我给她发了邮件。可是，我并没有收到长峰的回复。放学后我又发了一封邮件，依然没有回复。

那之后的第二天，是这个学期的最后一天。

我还是没有看到长峰的身影。

我很想回家路上去拜访长峰家的公寓，可到最后还是觉得难为情。

反复发了好多次邮件，却一直都没回。怎么回事？是不是跟家人出门去告别旅行了？

我应该问问她什么时候入伍报到就好了，可是无论如何也不该是在义务教育完成之前吧，后面还有第二和第三两个学期呢。我用不着这么着急，在那之前还可以见无数次面，一定还有的是机会把我该说的话说给她听。

该跟她说的话？

小心身体好好干哟！这种鼓励的话吗？

社团活动中给您添麻烦了！这种感谢的话？

还是，别的什么更重要的话？

总之，至少也要郑重地说声再见才对。

而且，还应该叫上几个好朋友开一个小型的壮行会。

可是，我的这些想法悉数落空。

时隔很久收到长峰回复的邮件，是在进入暑假之后的第五天，邮件发出的地点是位于月球轨道上的“里希提亚”号舱内。

2047年4月　火星基地

冷静！美加子。

首先，发现敌人。全方位集中注意力。

必须时刻注意容易形成死角的身后、头顶，以及脚下。

我做到了，就和讲义要求的一样。而且，我也在模拟装置上练习过很多次了。

就算是实机的追迹者，我在月球表面也训练过好多次了。基础性的动作，已经实践完毕。实机也好，模拟机也罢，其实都差不多。因为，即使像现在这样坐在实机里，也不能直接看到外界，只能看着全方位屏幕上显示出来的影像。

可是，有一点不一样的是，只有在实机里才能感受到加速感。就像刚才，从火星地面急速起飞、急速上升，那个加速感简直让人眩晕。

我已经适应了操作间。

踏板操作、挥舞手臂，以及配合显示板的指尖动作也都适应了。

这次训练应该不是很难。敌人只有一架航空机，我方攻击方式仅限导弹，敌人没有反击，所以也没必要做躲避动作，可谓超简单。可是，如果是实战一定不会是这样的。当然，训练也会渐渐附加一些比较难的条件，逐步提高难度吧……

但训练任务清单上，安排的全都是战斗训练。

这是什么意思啊？不是很奇怪吗？

为什么呢？为什么要假想和多鲁米斯人开战呢？

真搞不懂，事到如今想什么也都没有用了。

我只做好我该做的事和我能做的事吧。

对，把注意力集中到我现在正在做的事上吧。

经过时间，一百二十秒……一、二、三。

被射出来的靶子马上就该出现了。

啊！警报响了。

哪里？在哪里？

别着急。

啊！看到了！

目标锁定！开火！

——拜托，一定要打中哦！

导弹连续不断地从追迹者的背负箱发射出去。

左右方向各两对，一共四枚。每枚导弹只有罐装咖啡那么大，但其破坏力极大，运动性能也极高。

美加子发射的四枚导弹，瞄准演习用的白色模拟机，划出各自不同的轨迹尾随而去。模拟机的机体外观看上去很像鳐鱼。据说其外形和运动模式都是模拟单体多鲁米斯人设计出来的，但实际上关于单体多鲁米斯人的信息是极其有限的。

之所以四枚导弹的动态完全不同，是为了对抗目标的躲避动作。对目标进行团队追踪打击的阵形有十几个模式，到底选择哪一个则由追迹者的操作员根据以往的经验和瞬间的判断进行选择。

美加子是新手操作员，而且这是她第一次发射实弹。为了让新手适应，目标靶子的躲避动作已经进行了简化处理，只要有一枚导弹命中就算合格。但为了防止四枚导弹都打偏，操作员必须让追迹者本体也对目标进行追击。

模拟机的助推器喷气提高了速度，以接近直线的动作挣脱而去。

散开的四枚导弹仿佛被模拟机划出的轨道吸过去了一样，一下子聚拢过去，几乎排列在同一轨道上追了上去。同时，在导弹身后美加子控制的追迹者也远远地跟了上去。

这一幕追击镜头的背景，是一片红褐色干涸的大地。火星上空广阔的天空，让美加子一个人独占着。星际宇宙战舰从遥远的高度向下俯视着。而从地面上，训练基地和在其周边等待出发的其他十几个追迹者向上仰望着。美加子的英勇战姿吸引了很多视线。可是，在机内奋战的美加子根本无暇在意这些操作者同伴或教官的视线。

——拜托，要打中啊！

美加子一边祈祷着，一边注视着屏幕。

跑在最前面的导弹抓住了模拟机，一下子拉近了距离后从背后进行了袭击。

可就在眼看就要命中的一瞬间，模拟机轻盈地向旁边一闪，第一枚导弹就这样擦身而过了。

读取了模拟机这个躲避模式的第二枚导弹立刻改变了原来的轨迹，它向外绕开来，打算阻截目标的退路而迂回绕到它的前面。

模拟机为了躲避正在接近的第二枚导弹，对自己的运行轨道进行了修正，让机体做了横向的滑动。而第三枚和第四枚导弹就好像已经预知到这一动作一样，它们联手猛扑过来。

美加子目不转睛地盯着屏幕，她美丽的大眼睛里闪现出一缕喜悦的光芒。

——真的吗？

就在宛如鳐鱼鱼鳍一般伸展出来的机翼部分，两枚导弹命中并击穿目标，向遥远的星空飞驰而去。并没有引起爆炸，因为导弹并没有填装弹头。

“太好了！打中了！”

美加子不禁脱口而出，很控制地发出了欢呼声。

成功完成任务的兴奋，让她的脸颊泛起了红晕。

此时追迹者外装摄像头所捕捉到的画面和在其周边安置的机载电脑传来的分析数据，以及各种辅助信息等都显示在屏幕上。这与曾经不断重复演练过的模拟装置的显示没什么不同，但操作真机的感受果真不同凡响，这让美加子热血沸腾。

机载电脑传来了冷静的声音宣告任务结束。

美加子噘起嘴，呼地吐了一口气。

——必须回去了。

下一个训练生还在等着，必须迅速把训练空域腾出来才行。

美加子的指尖在手边浮现出来的立体画面触摸屏上舞动，下达了返回训练基地的指令。操控瓦斯从机体的各个方向按次序喷出且调整了方向之后，追迹者便头朝地面宛如跳伞运动员一样一猛子扎了下去，简直就像自由落体一样一条直线地坠落下去。

红色的大地和泛着银光的建筑物以极快的速度不断逼近。

美加子的表情看上去有点落寞。

“能给我点洗发水吗？”

用来隔断的半透明塑料拉帘一阵晃动，一只沾满泡沫的手一下子伸到美加子的眼前。

“啊？我们发的你都用完了吗？”

美加子关上正在用的喷头，转头望向隔壁。

透过拉帘，眼前朦朦胧胧地浮现出人体的曲线。

虽然身高上差不多，可是那凹凸有致的线条所勾勒出的全身像太让人有压迫感了。

“你看，就给我们这么点儿，我连一半头发都洗不了。我知道我们在“里希提亚”号上不能太奢侈，可是这里是火星啊！水应该是可以放心大胆地用的啊。真是的，一点洗发水，用得着对我们这么小气吗？”

“嗯，那倒也是，不过……啊！我是短头发，所以用不了那么多。”

美加子把装在软管里的洗发水递过去，塞在了那只伸过来的手里。

“谢了啊！”

那只手又缩回到半敞开的帘子那头去了。龙头暂时关上了，传来咯哧咯哧用洗发水在头发上打泡的声音。

“我全用光了啊！”

“啊？啊……”

我只能这么回答了。

“今天的结果怎么样啊？”

“三次都命中了。”

“好厉害啊！难不成你驾驶的是二号机？”

“是。”

“我啊，是拉后腿的。不过，总算是最后一个勉勉强强过关了。”

“那么你驾驶十二号机……喽？”

“回答正确！”

猛地一下，帘子被彻底拉开了。

“我是北條里美。虽然前途令人堪忧，不过请多关照！”

她一边用手背擦着额头的泡沫，一边问候道。

美加子马上用手遮住自己的胸，满脸吃惊地看着旁边这人。

“我是长峰美加子。”

不知所措已经表露无遗，打招呼的声音也是哑哑的。

“初中生……？”

里美好像在炫耀一般挺着高耸的双峰，开始对美加子的身体上下打量。

“不是的，我今年春天就毕业了。不过，我没能参加毕业典礼。”

“啊，是啊。可不是嘛，你是紧急通知的吧。不过，你出勤天数够了吗？”

“不够，可我是特殊情况。不过，所谓的毕业也只不过是登记一下而已，我没有领到毕业证，所以没有真实的感觉。”

“嗯——搞不好你是所有训练生中年龄最小的吧？啊，对不起对不起！我今年十七岁，是比你大两岁的姐姐哦！我呢，高中读到一半就自己退学了。听代理人说，休学也好、毕业也好，怎么处理都可以的。可是我想反正都已经先找到工作了，可能高中毕业的学历没有也无所谓了吧。”

里美用高亢的声音哈哈大笑起来。

“你交到朋友了吗？”

“我没有那个精力啊，而且，周围的人都比我大……”

“虽然比你大，但也没差那么多了。我认识的朋友当中，最大的也才只有二十一岁。”

“还有，我这人有点儿认生……”

“这样的话，就让我来当你好朋友吧。虽然有点靠不住，请多关照哦！”

里美伸出沾满泡沫的手，强行掰开美加子护住胸口的手握住了。没有了遮挡的美加子的胸，果真是让人认出是初中生也无可厚非的单薄。

“可是，光交些女孩子的朋友，老实说很没劲的，是吧？”

美加子不知道该如何回答，只好笑了笑。

“我以为一定会有什么新的艳遇，才满怀期待地来的。哎，真让人失望啊！我觉得自己是上当受骗了。当初要不是刚跟男朋友吵架分手了，我才不会报名的。”

“啊？男队员的话，其他战舰上应该有的吧？”

“我一开始也是这么想的。每艘战舰大概有一百个机组人员，这里全都是日本籍的女性，这从分配上来看是不是有点问题啊？可是，结果还真是有点问题。在月球上训练的时候，我偷偷跟基地的人打听过才知道的。总之，据我所知，还从来没有一个男的接受过训练。”

“真的吗？……”

“真的。不过，你也不要太失望哦！听说在火星基地的训练还会持续一段时间，虽然这边都是些感觉有点像大叔的人，但可以代表各个国家的大帅哥们都聚齐了，只不过竞争有点激烈。”

"我并没有那个想法……"

"你好认真啊！真是个优等生呢。不过，不趁现在找点乐子可就亏大了。因为一旦训练结束了，我们在宇宙战舰上的职位确定下来了的话，就连男人的影子都找不着了啊！"

"可是，你说战舰里一个男人都没有？"

"嗯，当然舰上除了舰长之外还有领航员、通讯工程师和最低限度的维修人员，不过这些都是些老爷爷啊。还有，可能是为了节省动力，厨房和清洁一类的舱内工作基本都实现无人化了。"

"那么，队员全都是女的吗？"

"就是说啊。"

"可是，为什么呢？"

"不知道啊。这种事情，理由什么的真的搞不清楚。不用说这是上面的人决定的，应该有什么很正当的理由吧。"

"我也有点上当受骗的感觉了，心情复杂……"

"好了，这种事想多了也没用。我倒觉得能免费到宇宙旅行就已经赚到了啊！虽说现在宇宙旅行已经休闲化了，但哪怕是月亮也不是说去就去得了的啊。而且，不仅是月亮，我们还到了火星！无重力体验也是啊，我们六分之一重力和二分之一重力都体验过了呢……对了、对了，你知道吗？等集中训练结束了，还有火星观光项目在等着我们呢！那个大名鼎鼎的多鲁米斯遗迹，我们可以近距离观看到了。”

“多鲁米斯遗迹……？”

“哎呀，多鲁米斯人这个说法就来自这个遗迹啊。这是第一次载人火星探险队发现的，地球以外的文明留下的痕迹……”

“啊，我知道的！社会学教科书上有照片的。”

“是啊是啊，就是那个！那么，里美姐姐我就给你做观光导游兼多鲁米斯遗迹解说员吧！那里发现了类似城市的遗迹、小多鲁米斯人和巨型多鲁米斯人的化石……这些啊，都是本世纪最大的发现！它们证明了在地球人类以外还存在着有智慧的生命，因此全世界都为之轰动。我们可是受到了好大、好大、好大、好大……的文化冲击哦！不过话说回来，这样才在遗迹的边上建起了基地，开始了真正的考古挖掘。那已经是距现在八年前的 2039 年的事了。当年我九岁，你只有七岁。虽然有点模糊了，但当时的直播画面还留在我的脑子里。”

“我没有印象了……”

“是啊，小学四年级和二年级差别还是蛮大的啊。打那之后呢，开始了持续不断的密切调查，基于调查队的中期报告，组建了更正规的调查队‘首次火星文明调查队’，被派遣到火星上去。可是，等待他们的却是无法想象的情况。调查队的每一个成员一到基地就不顾长途跋涉的疲劳立刻精力充沛地投入到了工作当中。在器材和人员大量投入的正规调查开始之后，好像还不到一个礼拜的时间。正好是之前不分昼夜地进行现场报道的激情开始有所平息，变成只在新闻节目里播放相关影像的时候发生的事。作为新闻快报播放的多鲁米斯遗迹的影像，让事态发生了翻天覆地的变化。遗迹的一半以上和基地一股脑儿地都消失了，感觉像是相当于核弹爆炸一样的能量瞬间爆发了。当时那令人震惊的画面，你也应该记得吧？”

“对不起。我并没有看到实况报道的记忆。当然，爆炸的画面后来被反复播放，那个我过后曾经看过……”

“什么？你知道这事儿啊！白说这么半天。不过也还好，既然说到这儿了，就把那之后发生的事全都告诉你得了。根据为数不多的幸存者的证言，发现那并不是事故，而是故意的破坏行为。据说出现了和多鲁米斯遗迹里出土的化石完全一样的巨型多鲁米斯人，他们袭击了调查队。就像你也知道的那样，那些之后马上被封印了的影像第二年被公开了，就是巨型多鲁米斯人的群体出现在基地上空的影像，那之后的经过就是我们在初中学到的那样了。通过了以美国为主导的联合国决议，制定了《多鲁米斯人条约》，各国以批准条约成立的形式各自发布命令宣布进入紧急状态。可是，最优先的还是对多鲁米斯人的搜寻。他们到底是从哪里来的？是为了什么目的来的？当然，以侵略为目的这个最糟糕的版本是第一个被考虑到的，所以几乎同一时间就建立起了全球范围的防御体系。也是为了应急，以联合国各成员国已有的宇宙部队为母体，集结编制了联合国宇宙部队……”

“这些，我知道的。在学校里学过。”

美加子表情认真地频频点头。

“话虽这么说，经过到底是怎样的还不清楚，总之我们就被选为这个多鲁米斯人考察队的成员，踏上了寻找多鲁米斯人之旅。”

“能够被选中代表全世界，也是很光荣的啊。”

“是啊，不过，好像缺点真实感啊。多鲁米斯人打那以后再也没有出现过，我觉得认为他们是以侵略为目的的这个想法也可以打消了吧……”

抱着双臂，里美思考了片刻马上又张嘴了。

“哎呀，光顾着说话了，再不快点穿衣服就吃不上晚饭了啊！想要吃到新鲜蔬菜，必须趁现在啊。我们可要补充足够的营养才行啊！那么餐厅见！咱俩坐一块儿吃吧。”里美莞尔一笑，迅速地拉上了拉帘。

紧接着隔壁传来了淋浴的声音，美加子为了把凉透了的身体暖和过来，也再一次扭开了淋浴的开关。

餐厅盛况空前。

每一张桌子都被二十岁上下的年轻女孩占据得满满的。

其中一半以上的人都已经吃完晚饭了，却好像不愿离去般投入地聊着天。那其中也有一些女孩并没有加入聊天的圈子，而是对着手里的手机默默地发邮件给留在地球上的家人——这场景让人宛如置身于女子大学的学生食堂里一样。

拿着发下来的 ID 卡在感应器上扫一下，从柜台接过装好了食物的餐盘，美加子环视餐厅想给自己找个位置。有几个小团体已经初具规模，看上去也没办法很轻易地就插入进去。

正在犹豫不决的时候，“这边！”有个女孩挥着手在叫她过去。

正是在淋浴间交谈过的里美。

大多数人都穿着那套统一发下来的训练服，呈现出一种随意放松的状态。可在这当中，里美却是上下一身充满野性之美的牛仔装。

美加子穿过座位与座位之间的空隙，小心翼翼地慢慢走过去。抵达火星这才是第二天，还没有完全适应重力，感觉一不当心就会不受控制地跳起来。

不知道是刚刚才到，还是故意在等着美加子，里美餐盘里的食物还完全没有动。来到对面的座位后，美加子静静地放下了餐盘。

“可以问一下吗？”

里美手托着腮问道。

“希望不会惹你不高兴，你这个人是不是性格相当顽固啊？”

为什么这么说呢？美加子不禁觉得不可思议。

“……此话怎讲？”

“你看，你穿的这身，恐怕是初中学校的运动服吧？”

里美指着美加子穿的衣服。

“我听说穿什么随便，而且，这个是最舒服的了……”

“也许你说得对，不过主要还是因为别的理由吧，其实是因为还希望自己能一直保持初中时代的样子吧？”

“哪有的事……”

很想否认却一时语塞了。

虽然不是有意识这样穿的，但确实被里美说中了。

“对不起啊！所以我刚才说希望你不要不高兴嘛……来吧，吃饭吧！蔬菜全都是火星产的。听说是充分利用了结了冰的地下水栽培出来的。只是因为日晒的光照度不够，所以比地球上生长得要慢……酱拌芋艿加金平牛蒡，味噌汤的味噌还有汤里的豆腐，听说这些都是本地生产的哦。当然，大米也是的。真的感动到要落泪了，是专门为我们栽培了日餐用的食材吗？不管怎样，抱着感谢工作人员的心情，我吃饭了。”

“我也吃了。”

在拿起筷子之前，美加子静静地从运动服的口袋里掏出手机放在餐盘旁边。

“可能是因为重力的关系，这个米饭总有点夹生。不过，就不能提出这么奢侈的要求了。”

嚼着用筷子送进嘴的第一口白米饭，里美说道。

“啊，可能又要让你不高兴了，你是不是在等男朋友发来的邮件啊？”

里美用筷子指了指美加子的手机。

“不算是男朋友啦……”

“来吧来吧，给我看看！”

里美敏捷地伸出手，抢走了美加子的手机。

待机画面是头上裹着布手巾、穿着剑道服的阿升的侧脸。

“嗯——这不是挺帅的嘛！”

“别闹了！”

美加子慌张地夺回了手机。

“是同学？到哪一步了？”

“不是你想的那样啦！”

美加子满脸通红地强烈否认着。

“那么，你表白了吗？”

“我也没有，对方也没有。只是同一个社团的，曾经说好了要去同一所高中……”

“这样啊，他已经上高中了吧。不过你却来到了火星，而且心情还和初中时一样……”

美加子停住了筷子，垂下了头。

“啊，对不起！我是个坏心肠的女人吧。也许是因为我自己没有男朋友，才对你羡慕嫉妒恨吧。有一个人在等着自己，真的好幸福啊！我也会为你们两个加油的！”

“谢谢！里美姐姐还真是个有啥说啥的人呢。”

又恢复了笑容，美加子喝了一口纯火星出产的味噌汤。

阿升：

这里是火星。我们一直都在演习。

没看出来吧，我在所有选拔队员中成绩很好哟。

我看到了奥林匹斯山，也去了水手谷。

当然，也去看了多鲁米斯遗迹，和教科书上看到的完全不同。

虽然像民居遗址和类似公园的场所这些已经完成调查并开放的地方是有限的，但能够近距离观察，真的让我非常兴奋。

这么说，太阳系并不是只属于地球人的。

在很早很早以前，在地球文明诞生的很早很早之前，他们就铸造了高度的文明。能够真实地感受到这一点，令人震惊。

就在遗迹的旁边，建了一座纪念塔。

为了祭奠那些受到多鲁米斯人袭击而失去了宝贵生命的第一批火星文明考察队的成员们的灵魂。

多鲁米斯人为什么会做那么残忍的事呢？

是因为没有和他们打招呼就随便地暴露了遗迹的秘密？

如果是那样，他们的愤怒还远远没有平息吧。

地球人正在努力彻底揭露他们文明的秘密。

想要把从他们那里学习的高度的技术迅速吸收并应用在各个领域。

即使是“里希提亚”号上也充分地吸收了他们的技术。

比如亚光速航行技术及其驱动系统，而且更厉害的是自律型的超空间引擎得以实现，一点五光年的距离瞬间就可以传送过去了。

这次轮到我们运用他们的技术，去追赶他们了。

为了追赶他们而前往更遥远的宇宙的日子，一刻一刻正在临近。

下一次发邮件恐怕要从正在前往木星的卫星木卫一的

“里希提亚”号上发给你了。

明天我将离开火星。

渐渐地，我和阿升之间的距离越来越远了。

邮件送达需要的时间也变成了越来越大的数字。

即使到了木卫一，邮件也一定可以寄到的吧。

因为，木卫一上有个很像样的中继站啊……

那么再联系！

来自成绩优异的美加子

2047年4月　城北高中

阿升：

我突然不见了，真对不起啊！

美加子正在月球上的基地里。

本来我是想好好与你道别的，可是没想到来接我的人却连个招呼都没打就突然来了。

和阿升你一起躲雨，然后又一起回家的那天深夜，代理人突然来到我家，蛮不讲理地只给了我一个小时的准备时间。实在太过分了！

怎么可以这样？我爸妈也很生气。

我慌乱地把几件换洗衣服塞进包里，等回过神来人已经坐在他们的车子里，在前往宇航自卫队埼玉基地的路上了。

我一直以为和大家的分别要在毕业典礼之后呢，这真的太过分了。

不过我现在觉得，也许像这样好像被绑架了一样被强行带走反而比较好。要瞒着大家默默地等待入伍报到的日期一天一天地临近，真的很难忍受。

而且，一旦真的要面对分别，我想我一定会哭吧。一旦哭了，就会后悔，会像个撒娇的孩子一样赖着不愿走了吧。

总之，美加子已经平安地报到入伍了。

而且，出乎意料的是我现在状态相当好。

到了埼玉基地我办理了简单的报到手续后领了统一分发的装备，连睡一觉的工夫都没有，就被塞进了清晨的航天飞机。我在月球空间站住了一晚，并在“被绑架”的四天后，到达了位于澄海的联合国宇宙部队的大本营。

一到这里就马上给我们开了情况说明会，现在终于回到自己单独的房间得到了解放。我现在正在给阿升你写邮件。

当然，在这之前先给我爸爸妈妈发过邮件了。

也不知道能不能收到?

说到这里，其实通过给我爸妈发的邮件，已经确认从月球上发出的邮件也是可以收到的。可是，因为接下来每次舰队移动时，都要经过各种中继卫星进行传送，所以也许阿升你发给我的邮件我不能很顺利地收到。不过，没关系的。美加子会很勤快地给你发邮件的。我会认真地向你汇报我现在在哪里，正在做什么，请你放心!

说到美加子接下来的计划，明天我们就要立刻开始培训了。

为了成为一名优秀的追迹者操作员而接受培训，也不知道什么时候才会让我们坐上真正的追迹者？

那么，你暑假过得开心点啊！

哦，对了，还有考试在等着你哟。

别太拼了，小心身体啊！

还有，凉东西少吃一点啊。

朝着目标，考取志愿校，加油！

就到这里吧。

来自“被绑架”的美少女美加子

是强打精神呢？还是真的欢天喜地呢？长峰发来的邮件字面上看起来情绪高涨得有点微妙。

不过还算不错，过程不必细究，只要能平安入伍就好。

我马上给她回了邮件。

看来手机的通讯范围确实延伸到了宇宙太空。这也并不是什么特别的功能，而是所有普通的手机，无论什么样的手机都可以实现太空到地球间的通讯。

虽然从原理上知道这个，但作为一个普通的初中生，之前是完全没有机会尝试这一功能的，毕竟我又没有那种住在宇宙的网友什么的。

可是我知道现在有超过三万人在宇宙从事固定的工作。

虽说如此，人类到比月球还远的宇宙中去这只是最近的事。而且说是在宇宙工作，但实际上绝大多数都局限在那些密密麻麻飘浮在地球低轨道上的被叫做宇宙空间站的人造空间和月球表面的设施中。

对宇宙进行开发的目的是多种多样的。比如军事目的、科学研究、医疗目的、娱乐观光、民间新材料的研究开发、作为影视产业的外景地、作为新闻报道机构的发送中心等等。

但是，最近似乎专门以军事为目的项目提升到了优先级。

多鲁米斯人袭击发生以来，一方面也是为了确保航线的安全，民间航天飞机的航班总数受到了限制，宇宙及月球表面的民间设施一个接一个地被联合国收购，摇身一变都成了联合国宇宙部队的设施了。

可另一方面，从多鲁米斯遗迹的出土文物中获得的多鲁米斯人文明中高超的科学技术，立刻在宇宙领域中得到还原，取得了显著的进步。可是，这样一来宇宙技术越发展，我们这些普通人和宇宙之间的关系就变得越遥远了。因为所有的最新科技全部被以 NASA 和美国宇宙部队为轴心的联合国宇宙部队独占，完全杜绝了对外公开。

与宇宙相关的信息受到了限制，并逐日从老百姓的视野中消失远去了。

在与宇宙相关的信息如此稀缺的情况下，唯独与多鲁米斯人考察队相关的信息很例外地经常有所发布，限制相对比较宽松。也许是为了把“我们人类总是暴露在多鲁米斯人的威胁当中”这样的概念烙印在全世界人民的大脑里而有意识地、人为地泄露给我们的吧。

——所以说，长峰发来的邮件，让我感到宇宙近在身边。

即使在理论上我知道是能发送到的，但对着月球表面发送邮件，这还是第一次。真的能够顺利发到吗？半夜我把邮件发出之后，马上跑到屋外仰头望向夜空。那是月龄大概只有三日左右的瘦瘦细细的月亮，低垂在夜空中，露出一副好像无依无靠的表情。

这一刻，我真实地感受到长峰真的已经去了非常非常遥远的地方了。

——长峰她，现在在那里啊？

可是，我感受到的只是两个人之间那遥远的距离，而长峰被放置在一个完全陌生的环境里，被突然强制过着与昨天完全不同性质的生活，她会有一种怎样的心情呢？关于这些，我完全没有想到。

在那之后的半年时间里，我们互相鼓励，一直保持着邮件的交往。

我们一个目标是追迹者操作员，一个目标是高中生，互相为对方加油，互相称赞彼此每天的努力。

可是，说实话，我的心情是非常复杂的。

不只是因为没有办法直接见面这样单纯的理由。

我一方面非常担心长峰，而与此同时我又有点羡慕她，也有点嫉恨她。

也许长峰现在做的事是非常辛苦的，却肩负着为全人类做出贡献的神圣使命。和她比起来，我所做的事只是为了我一个人的未来，只是为了如此渺小而不起眼的目的。而且，长峰的未来前途似锦，而我就连能不能成为一名高中生也不知可否。

真好啊，长峰。我会发自内心地羡慕她。

而且，就在我着急想要再多背一个单词，正在和单词本进行殊死搏斗之时，突然就响起了收到邮件的铃声，说实话每每这个时候我都在想，你饶了我吧！真心觉得有点烦了。

这一天的训练项目和成绩、反省要点、晚饭的食谱和口味点评、关于各位教官的闲话和他们的外号、根据从月球上观察到的每天地球的变化和云的走向进行的长峰独家天气预报……可是，无论这些话题中的哪一个，对一个要参加中考的考生来说都是无关而且无益的。

这种状况实在忍不下去了，终于在第二年年初到正式考试还有不到两个月的时候，我主动提出暂时停止了邮件的交往。我觉得我就是那种自说自话、心胸狭窄的人，我开始讨厌我自己。

我并不想把罪过都怪在和长峰进行邮件交往这件事上，但确实没办法把注意力集中在考试的复习上。考前临时抱的佛脚也没有什么明显的效果。

最后我在一种车到山前必有路的放任自流的情绪中迎来了考试的日子，而结果竟然也船到桥头自然直地考上了想去的学校。

春天来了，我也名正言顺地成为一名高中生。

也许是长峰发来的那些鼓励的邮件发挥了作用吧，我擅自理解。

我还真是个任性的家伙啊！

虽然我不能确定在月球表面的培训是否已经结束，但总之要把考上了这件事告诉她。于是向基地发去了一封简短的邮件，可是这封邮件并没有发送到长峰那里。长峰已经离开月球基地，正搭乘“里希提亚”号前往下一个基地去了，就这样擦身而过了。

不过，长峰记得我发榜的日子，在那之后的第二天，她发来了一封简短的邮件告诉我她已经在“里希提亚”号舱内了，并询问了我考试的结果，我马上给她回了信。

于是长峰给我发来了一封长到令人恐怖的回信，以至于手机的存储卡都要爆了，她好像是要把这两个月空白的时间一口气都填满似的。

邮件的格式是日记风格的，都标着日期。可能是每天都在写吧，这样随着日子增多，字数也在不断增加。

在准备入学的间隙，我花了三天把这封邮件读完了。回信写了好几次，但都是写到一半就放弃了，就这样迎来了开学典礼。我把写了一半的回信都搁在一边，总之先发了一封简短的邮件，汇报一下我已经顺利地上了高中，并添上一句——“关于高中生活的详细情况，且听下回分解”。

我真是个毫无诚意的家伙啊！

在我确定录取之前，长峰已经提前一步顺利地完成了在月球上的基础训练。

走、跑、趴、起、站、踢、跳、转、止、抓、按、拉、摔、顶、抡、砍、攥……追迹者的基本动作她都已经牢牢掌握，并以优异的成绩成长为一名相当优秀的追迹者操作员了。

真不愧是从全世界精挑细选出来的人才，据说参加培训的新人几乎全部都掌握了追迹者的操作。不过，也并不是说就完全没有拉后腿的人。据说训练中也出现了因事故而受伤或因成绩落后而陷入抑郁状态最终被送回到地球的人，也有实在承受不了训练的严苛而从基地逃出来的人。

听到这些情况，我想也许长峰是很适合这个工作的。她善于忍耐的优点，在初中的社团活动中已经得到了证实。

伴随着入学的手续，我又要买教科书，又要买学生月票，还要填写很多申请表，这些繁杂的工作都告一段落了。班主任老师、各科目的老师，以及班级中每个同学的名字也都一点点记住了。对新的环境和生活方式都逐渐适应了之后，我觉得我终于可以从容不迫地给长峰发一封长一点的邮件了。

这时长峰已经结束了前往火星的移动，开始了下一阶段的培训。

从长峰发给我的每日一邮中，我知道她们的训练已经进入正式的阶段，其训练内容已经开始偏向于实战。

我开始隐隐地感到害怕了。

培训一千名这么多的追迹者操作员，这到底出于什么目的呢?

追迹者本来是作为行星探测用全环境对应型移动器而进行开发的，但现在通过对不同装配的选择，反而是作为战斗机的色彩越来越浓。

恐怕是预想到如果与多鲁米斯人遭遇，必然会和他们有一场恶战，而把长峰她们当做战士来进行培训的吧?

是啊，认真一想长峰她们这些选拔上来的成员，都是隶属于联合国宇宙部队的啊。

考察队会不会遭遇到多鲁米斯人呢?

恐怕也无法断言概率就是零吧。

其证据就在于联合国宇宙部队已经掌握了飞行捷径锚点的存在和其中几个所在的位置。

目前可以确定多鲁米斯人就是经由这种飞行捷径锚点来到火星的，也就是说如果顺着飞行捷径锚点反向找过去就一定可以找到多鲁米斯人出发的地方。

附带说一下，所谓飞行捷径锚点，就是指宇宙空间里连接两个地点之间的传送门。在多鲁米斯人来袭之后不久，作为可移动的奇点，我们就在火星的公转轨道附近发现了多鲁米斯人的存在，但直到最近才对外公开。既然找到一个，就意味着还有其他的存在。吸收了多鲁米斯人技术的新型战舰一经完成便立刻派上了用场，在太阳系内对这种飞行捷径锚点进行了积极寻找。

或许这只是我个人的一个推测，多鲁米斯人来袭六年之后的现在，之所以能够真正地开始实施多鲁米斯人考察计划，恐怕很大的原因是因为考察所必需的工具都研制出来了。也就是说，我们找到了比太阳系宇宙更远的飞行捷径锚点，我们要去探索更远，或者说是更深入的地方。

——呼。

长峰现在所在的火星已经很遥远了，那个比太阳系还要远的地方，听上去让人觉得恍惚。说实话，我完全想象不出那种距离的实际感受。

这个由十艘战舰、一千个工作人员组成的多鲁米斯人考察队，真心要往那么远的地方飞吗？

如果真是那样的话，长峰什么时候才能回到地球上来呢？

当然，虽说两个人身处异地，而其间的距离远到足以让人失神。但有了飞行捷径锚点却能让这个距离一下子缩短，因为它是所谓的瞬间移动，从时间上来说可能并不遥远。可是，这也有让人担心的地方，听说这个飞行捷径锚点都是单行线，也就是说并没有为返程准备好特快车票。

说到底，对于飞行捷径锚点还有太多地方依然是未解之谜。

它是一个人工的奇点，这点基本不会错。可是，它也并不是一个单纯的穿越了宇宙空间的隧道，所以应该存在着什么外部的控制装置。至于是怎么对它们进行控制管理的，就完全无从可知了——总之，“道理还没有掌握，但因为这里有这么一条方便的近道，所以试试看吧”——恐怕目前就是这样的感觉吧。

更让人觉得害怕的是，虽然说是发现了若干个飞行捷径锚点，但好像还没有尝试过带人状态穿过那条路。都是向被发现的锚点里投入装有发信装置的探测球，如果能够平安地从宇宙的某个地方穿越出来的话，就会马上发送电波信号回来。但是，说到底那信号也是以光速回来的。当然也有一些探测球，投进去后就不知去了哪里，再也没有收到它们发回的信号。

所以，除了那些已知出口的飞行捷径锚点之外，其安全性是无法得到任何保证的。当然，就算是已经找到出口的锚点，也只不过是一个机器偶然地穿过去了而已，会破碎的物品是否能安全抵达则谁也说不清楚了。

这也就是说，最后长峰她们将会第一批真正冲入这个隧道。

喂喂！这样真的没事吗？

而且，就算是平安无事地到达了什么地方，那么返程是怎么打算的啊？

返程坐慢车？不对，所谓的这个慢车，就是坐最新型的战舰“里希提亚”号，那也是用亚光速回来啊……

长峰，你还好吗？

我已经差不多适应了城北高中了。

就在刚才，我收到了你从火星基地最后发来的邮件。

已经放学了，我留在教室里。

为了能赶在你出发前收到，我现在马上给你回信。

虽然这么说，但其实我也没什么急事需要马上告诉你。

啊啊，我之所以一个人留在教室里，是因为我很犹豫要不要参加学校的社团活动。

今天必须要报名了。

本来是想继续练习剑道的，可是又有点改主意了。

也不是说练腻烦了，只是想尝试一下其他的可能性。

我只是去看了看他们练习的情况，觉得弓箭部好像很有意思。

总觉得你会说我朝三暮四。

你说你们下一站是要去木卫二基地吗？

当然，联合国的宇宙部队已经进驻木星这种事我还是知道的，可是，在木卫二上也建了基地这事我却是第一次听说。

这个，不属于军事机密吧？

我们的邮件会不会受到审查，很快你寄来的邮件里到处都是暗号了啊？我心里有点慌慌的（开玩笑的）。

希望你们可以平安抵达木卫二。

先到这儿。

立志成为秘密剑客……寺尾升

阿升：

我现在在木卫二哦！

虽然还没有得到通知，但我想我们在这里不会待很长时间。地面训练好像在火星基地就已经完成得差不多了。在木卫二要进行的，好像主要就是离舰和返舰的训练。

所以呢，实际上我们在训练的同时已经开始执勤了。

我们组成了每四小时一换的五班倒的轮换方式。

可以把追迹者弹射出去的弹射器，在战舰的侧舷共有十对。

所以，正好是一组二十个人坐在追迹者里待机。虽然知道没什么事发生，但还是会作为训练冷不防地突然发来出勤的命令。

现在呢，其实我正在执勤呢。

因为随时都有可能发出起飞的指令，所以我很紧张。

有中继站的地方，也到此为止了。

不过，这里虽然叫做基地，但也只有空间站浮在空中，并没有在地面上建立营盘，所以我们并没有离开战舰。

在战舰上的生活，就好像被关在城市的写字楼或什么建筑里被强迫二十四小时工作一样，我觉得有点上不来气了，也试着自己找点乐子。

之前也跟你提到过，我交到朋友了哦！

啊，你不要担心，她是一个叫做里美的比我大两岁的女性朋友。

说起来，机组成员真的全都是女孩子。

不过，因为我年纪最小，所以她们可能都只当我是个小屁孩儿吧。

航行过程中的活动范围是被限定的，所以几乎就是房间到餐厅两点一线，也不许我们向外看。

现在是停泊状态，所以限制被解除了，我正在利用自由时间眺望并欣赏一下木星。说到木星，近看的话很有意思哦！高温的气体云团很有活力地旋转成旋涡，表面形成的条纹时刻发生着变化，可漂亮了！

啊，还有我看到了磁流管了！那是木星向木卫一射出的太阳系最大的雷——好大的震慑力啊！

阿升，听说你加入弓箭部了是吗？

弓箭部应该都是女孩子吧？

因为弓箭是女孩子很喜欢的运动啊。

美加子本来也应该和阿升你一起去城北高中上学的啊。

很多时候，就像现在这样我一个人待在追迹者里的时候，我就总在想“我这是在哪儿啊”，“我在这儿干什么呢”。

我只是有点想家了吧？

下一个目的地好像是冥王星。

我离阿升你越来越远了啊。

那么，下次从冥王星（？）写给你。

来自犯了思乡病的美加子

你还好吗？

确实，弓箭部就是女生的天下。

低年级的我就好像被丢进狼群的小羊羔一样变得低声下气的。

上了高中之后的第一次考验——期中考试马上就要到了。无论哪一科的内容都比初中时明显难了好多，临时抱佛脚已经不太管用了。虽然周围也有人根本不着急，但也有人从一入学开始就两眼放光地朝着考大学在拼命努力了。说到我的话，对于未来我还什么都没想过。

长峰，你好像没什么精神啊。

别想得那么复杂啦。

冥王星是什么样子，你也要告诉我啊！

我很期待你的现场报道。

请代我向里美姐姐问好！

前途未卜的……寺尾升

虽说是杂七杂八的，但总之我的高中生活乐在其中。

我埋没在高中生的日常之中。

而长峰在遥远的宇宙彼岸过着她的军旅生活。

我们之间，到底是怎样的关系呢？

我们之间的距离越来越远，无法见面的日子毫不留情地流逝着。

某一天突然转学去了别的学校、从教室消失不见的同学——对我来说，长峰就是这样的存在吗？最开始还坚持通信，但相互共同的话题逐渐减少，很快信件的来往出现了间隔，终有一天某一方不知不觉地不再写信了。我和长峰之间也会变成那样吗？

可是，我觉得我们不仅如此。

至少现在的长峰，她还需要我。

而且我……

2047年8月　冥王星

阿升：

美加子现在在冥王星哦！

这是太阳系最远的地方，我觉得自己已经到了我能到的最远的地方了。

在这里我们已经没有什么需要学的了。

该学的已经都学完了，关于追迹者的操作可以说已经驾轻就熟。

在这里要做的事，就是寻找锚点。

可能前面我跟你说过，返程的飞行捷径锚点到现在还没有找到，所以联合国宇宙部队相关的工作人员正在寻找连续的锚点，我们只能算是来帮忙的。

因为冥王星上连基地都还没有建。

不过你要说这也是训练的一种，也没什么不对。

我们三班倒轮流执勤，每天会有八小时离开“里希提亚”号，到外面寻点。这也是离舰训练，而且离开了战舰我们就可以自由移动了。

因为追迹者原本是侦察机，装备着各种感应器，所以正好适合这个工作。

不过，我想我们是找不到的。

啊，现在正好是我值班的时间，所以美加子现在在追迹者里面哦！当然，我并没有在偷懒，工作是工作，我在很好地完成。真正在工作的是机载电脑，美加子只负责看着电脑就好——目前没有任何异常情况。

包括这颗星球在内，再往前就都没有基地了，也就说不再有支援了，感觉我们终于要踏上旅程了。

从这里出发，下个目的地还是秘密。

我们在太阳系内部各个卫星周边，一边搜寻飞行捷径锚点，一边还要对多鲁米斯人进行监视。

可是，到现在还没有确认多鲁米斯人的出现。

所以我想，我们最后还是要飞出太阳系的，一定没错。

其实呢，停靠在木卫二基地的时候，曾经替换掉了几个机组成员。虽然只是传闻，但我听说舰队当中可能有一两艘会作为后方支援部队留在冥王星。

我一直没动，现在还在旗舰“里希提亚”号上执勤。

我想这可能意味着，我并没有被选进留下来的那组。

阿升，我呢，其实现在心里在想如果找不到多鲁米斯人就好了。继续往前走，去完全无法预知的遥远的宇宙什么的，我真的不想去。

我在想，如果能够尽快平安无事地退伍，早点回到地球就好了。

阿升，你愿意等我到那天吗？

字打到这里，美加子停住了手指。

——阿升，你真的会等我吗？

她望着手里的手机叹了口气，果断删掉了最后一行。

——说是能回到地球，但那要多少年以后呢？虽然那位代理人大叔说只需要很短的两三年，可连报到入伍的日子都跟他说的完全不一样，他的话没法信啊。但是，现在已经到这里来了，就没办法回头了。就算想临阵脱逃，光靠追迹者也是没办法返回地球的。不过，也许我装病的话可以换到留下来的那组去，能想到的办法只有这个了。

"美加子，你又在溜号了！"

响彻操作间的一声大吼，让美加子猛地回过神来。

抬头一看，屏幕上大大地映着里美的脸。

"我才没溜号呢！"

"还狡辩？你看，手机还在你手里呢。你刚才在给阿升发邮件吧？就算你慌慌张张地把手机藏起来，我也看得一清二楚啊！我要不要跟指挥官汇报一下呢？……"

"你太坏了……"

"逗你玩呢……我们成天在这种地方拼了命地找，可那个飞行捷径锚点什么的连影子都没有。不过一直关在战舰里也挺难受的，正好让我们出来透口气啊……”

“里美姐，有什么事吗……？”

因为想继续发邮件，美加子打断了里美的话。

“没什么事，就是告诉你已经到了交班的时间了！”

“啊？真的吗？”

美加子把视线投向屏幕角落里显示时间的地方。

确实，从战舰出来已经马上要到八个小时了。

“你赶快给我打起精神来噢！不早点回去的话，返舱闸门就要关上了哦！”

“里美姐，你在哪儿？”

“我在排队等着返舱呢。我到这儿了发现你好像还没有回来，才开始担心我那可爱的妹妹的，于是我在百忙之中不辞辛苦特意呼唤了你。我说，你最近好像没什么精神啊！也是，跑到冥王星这鸟不拉屎的地方来，谁也精神不了。在这儿，无论是谁都会得上思乡病的，但你是我们当中最小的，我不能看着不管啊……”

“我看起来有那么没精神吗？”

“超明显的！你本来很能吃的，可自打来了这冥王星之后，每次吃饭你都会剩饭，不是吗？”

“舱内餐我实在吃够了……”

“不只这个，从很早以前开始我就注意到了，我可以说吗？”

“什么……？”

“你的那副打扮！”

里美用手指指过来。

“有什么问题吗？”

“是，进了操作舱就变成一个人，也没什么人看着我们，只要不影响操作你就是光着也没人管你，可是，正常人，都不会穿这个吧？”

“是吗？我就是怎么舒服怎么穿的。别在意！别在意！”

“怎么能不在意呢？为什么要穿校服呢？而且，那还是你已经毕业了的初中的？”

在咄咄逼问之下，美加子睁大眼睛低头看了看自己。半袖白衬衫上系着胭脂色的领带——确实是初中时的夏季校服。

“没什么为什么……”

“你是不是把心思都留在初中忘了带来了？”

“也许是吧。可是，我们发的那个衣服，实在不想穿。”

美加子为了不和里美对视，低下了头。

“你是下意识地在抗拒自己被编入部队这件事吧？”

“我……并不是特别讨厌啊……在部队的生活。”

“可是，在我们旁人看来，你就只有刚坐上追迹者进行训练的那段时间是生气勃勃的，恐怕你是把那当做初中的社团活动了吧？”

“虽然你这么说，可我没什么感觉啊……”

美加子抬起头，眼睛里噙着泪水。

“你啊……”

里美正要说什么的时候，操作舱里突然响起了警报声。

“这是什么？我这边也响了。不跟你说了！”

里美从画面上消失了，取而代之的是以冥王星为背景显示各艘舰船所在位置的平面图。

“受到多鲁米斯人进攻！受到多鲁米斯人进攻！追迹者部队做好起飞准备！”

——不是吧？

“正在进行搜寻工作的机组成员，立即返回母舰！”

——从哪儿来的？

——怎么这么突然？

现在没时间想这些了，美加子开始了行动。

“在哪儿？多鲁米斯人在哪儿？”

她向机载电脑发问。

装配屏幕中出现了红点标记。

“离‘里希提亚’号很近。而且，正在朝‘里希提亚’号靠近。”

“我在哪里？”

画面上亮起了蓝色的点。

很近！位于临近多鲁米斯人的位置上，比“里希提亚”号离得近。

“僚机呢？”

画面中出现了大概三个四下分散的绿点。

“全速接近多鲁米斯人！”

下达指令后，美加子把注意力集中到画面上。

从“里希提亚”号以及其他的僚舰，还没有追迹者部队出动。

僚机中有两个看上去正在做返回母舰的动作。可是，就在多鲁米斯人和“里希提亚”号两点之间的连线位置上有一个追迹者，掉转了方向开始朝多鲁米斯人飞去。

“啊，等一下！她要干什么？打算单挑吗？”

美加子的追迹者也在不断加速逼近红点，总的来说呈现出从斜后方追赶的态势。

“到达预计相遇地点的时间是？”

“五十七秒。”

“僚机呢？”

“二十秒。”

“画面扩大！”

以红色点为中心，把焦点推过去，只保留绿色和蓝色的点还在画面框中。

“啊！是三个！”

原本重叠在一起看上去只有一个的红点，分裂成三个。

僚机的绿点正在朝着这三个红点突击猛进。

“开始减速。”

机载电脑发出了干巴巴的声音。

“不，要继续加速！接下来我来控制。”

美加子明白，无论如何都是来不及的。

但是，不管怎样也不愿让追迹者减速。她伸长手臂，把手里拿着的手机放到操作舱侧面的小置物箱里。

把两手插入两侧的操作手套里。

三个红色的点和一个绿色的点，距离正在急速缩短。

——会怎样呢？

——没有别人来掩护我们吗？

“出动！追迹者部队，出动！”

终于，舰队的指挥官发出了出动的命令。

“啊，已经太晚了！”

画面上，红色的点和绿色的点，终于重叠在一起了。

美加子吓得不敢出气，一瞬间闭上了眼睛，把脸背过去不敢看画面。

等她回过头来再睁开眼睛，屏幕上绿色的点消失了。

——怎么回事？被干掉了吗？

“减速！开始全速减速！”

在喊出声音的同时，美加子开始手动操作让机器减速。

“还有几秒？”

电脑在重新计算。

“还有十七秒。”

距离一下子缩短了很多，美加子把画面切换到实际画面。

有三个闪着银色光芒的飞行物，它们的长相还是第一次亲眼所见。

“还有十秒。”

对方好像发现了美加子的追迹者。

一直相互聚拢飞行的多鲁米斯人，开始向三个方向分开，按不同轨道飞行。

——还不要紧，因为我是从后面飞过来的。

美加子没有改变飞行轨道，而把目标锁定在径直朝“里希提亚”号飞去的多鲁米斯人身上。她一边做着细微的调整，一边紧紧地贴在了多鲁米斯人的身后。

“停止减速。”

离银色飞行物越来越近了。

“开始分析。”

她启动了追迹者上搭载的各种感应器，开始收集关于多鲁米斯人的资料。

屏幕上开始按顺序显示出已经分析出来的数据。

整体长度、整体宽度、推测重量、表面构成物质、表面温度、内部立体结构……

对于多鲁米斯人，除了从多鲁米斯遗迹获得的信息以外，我们所了解的少之又少。关于多鲁米斯人的个体形状和生理功能，虽然从遗迹出土的木乃伊化石中已经获得了一定的数据，可是那已经是几万年前的东西了。现在能够如此近距离地观察多鲁米斯人，恐怕这还是第一次。

——我说，你们只有三个是来干什么的呢？是来侦察敌情的探子吗？

“……两秒、一秒。锁定在距离一千米的位置。”

——你不会攻击我吧？我说，我该怎么做比较好啊？

从正面冲撞了多鲁米斯人的一个同伴已经消失了。

她和多鲁米斯人之间到底发生了怎样的接触呢？恐怕是遭到了对方的单方面攻击，被轻而易举地击沉了。

——就这样跟着可以吗？可是，一直这样下去的话，就要撞到“里希提亚”号上了啊！

警报声再次响彻操作舱。

“全体追迹者注意。包围多鲁米斯人，开始进攻！”

——就是说可以开打了，是吧？

美加子狠狠地咬紧牙关鼓足了干劲，开始战斗。

“加速！接近对方到距离五百米处！”

美加子紧盯着显示距离的数字，逼近到七百五十米的时候开始出击。

“导弹，六枚，发射！”

——要打中啊！

六枚导弹沿着看似毫无规律的轨迹，紧追多鲁米斯人而去。

可是对方也似乎已经察觉到这次攻击，横向滑动做出了躲避动作。

“追上去！”

美加子的追迹者也紧紧尾随，继续缩短距离。

“准备火神式机关炮！”

追迹者左臂推出了一个箱形炮塔。

多鲁米斯人以巧妙的躲避动作已经躲开了两枚导弹。而且，他向另外两枚接近他的导弹发射出红色的光束。

被红光照射到的两枚导弹，几乎同时爆炸了。

晚一步飞到的最后两枚导弹，也被这个爆炸卷进去引爆了。

一瞬间视野里完全变成白色，看不到多鲁米斯人了。

“去哪了？他在哪儿？”

距离，设定的是五百米。

美加子环视了全方位显示屏。

头上没有，脚下也没有。

“啊！在我身后！”

美加子猛然踩下制动踏板。

追迹者翻了个跟头，做了个一百八十度的转身。

“找到了！”

就在叫出声的同时，她按下了操作手套中的发射按钮。

炮塔喷着火，发出了二十发炮弹！

与此同时，美加子做了个躲避动作。深深地踩住制动踏板，在保持距离的状态下，画了一个弧线沉了下去。

——要打中啊！

如果和训练时情况一样的话，这一招一定会干掉对方的。可是这是实战，关于多鲁米斯人的战斗行为，目前绝大部分还是未知的。刚才导弹都被他轻松地化解掉了不说，还在不知不觉中就跑到背后去了，这些都是没有预料到的。

美加子双眼紧盯着炮弹，多鲁米斯人也正在做躲避动作。

——快点！

为了能够不管对方怎么躲都能打中，这二十发炮弹都设定在微妙地错开弹着点的地方，真希望这当中的哪一发可以打中！

“第二轮炮弹，设定！”

多鲁米斯人突然做了个奇妙的动作，好像被什么绊了一下。

——打中了？

多鲁米斯人开始了蛇行，就好像马路上的酒后驾车一样。结果只一瞬间，他突然爆炸了。

闪着银光的外壳，变成几块碎片四下飞散。

“干得好！打中了！”

可是一切并没有结束。

“接近！接近！”

机载电脑发出了警告声。

有一个以追迹者为目标不断逼近的物体眼看就要撞上来了。

因为喜悦而注意力分散，美加子来不及采取任何行动，只能眼巴巴地看着不断逼近的物体。要不要舍弃追迹者而想办法逃脱呢？此时这个比刚才那个小一圈的同样闪着银光的物体急速撞了上来。

为什么我没想到用火神式机关炮去打他呢?

与此同时，她发现对方也并没有进行攻击。

多鲁米斯人用一种类似漂移的动作来到追迹者伸手可及的眼前，突然静止了。

美加子在操作舱里整个人都僵住了。

好恐怖！可是，好像被摄取了魂魄一样，身体一动也动不了。

多鲁米斯人的外观，让人联想到一种类似于乌龟或螃蟹那样覆盖着硬硬的外壳的生物。

正面相对后，多鲁米斯人开始发生变化。他的外形开始变形。从外壳的缝隙中向左右伸出了好像触手一样的东西。在看起来像是头部的地方，一下子蹿出一个好像脖子一样的东西。

左右方向长出来的触手，先端分成两叉，然后各自伸长其尖端又分成两叉。这样的分叉不断地重复，形成了一个张开的网，从左右两边把追迹者包裹在里面。

美加子感到了深深的恐惧，可是这让她的身体更僵硬，完全没办法采取下一个行动。

触手形成的网刚刚把她完全包住，那个白色头部的前端就朝着追迹者里的美加子探了过来。

那个前端啪地一下裂开了，一个巨大的球形镜头一样的东西，忽地一下直逼过来。美加子直觉认为那应该是个眼珠儿。

巨大的独眼，好像可以把一切都看透一样凝视着美加子。

——不要！

好像内心突然被陌生人闯入一样的难受。

厌恶的感觉激起一身鸡皮疙瘩。

“不要！”

用尽全力握紧操作手套，拼命挥出。

光波刀已经出鞘，嘁里喀喳地砍断了触手形成的网，并顺势斜肩砍了下去。

看上去很坚硬的外壳，竟如切水果一般很轻易被切开了。多鲁米斯人的身体完全分裂成两半，好像血一样的红色液体从断面处喷涌而出。

美加子喘着粗气向后跳开。

多鲁米斯人破碎了，化成无数个碎片消散在黑暗之中。

“美加子，你还好吗？”

里美出现在屏幕上。

“……”

还没办法回答。切换画面。追迹者的队伍正在接近，最前端有一驾追迹者突出于队伍，好像是里美。

“因为我还没有被收回，所以无视命令跑过来看看。”

里美的脸强行挤进了屏幕。

“谢谢！不过，已经结束了。”

“剩下两个呢？”

“不知道啊，不知道到哪儿去了。”

——到哪儿去了呢？

确实，自从飞行轨道分开之后，就失去了另外两个多鲁米斯人的目标。

“你没事就好，快点回去吧！”

“嗯。”

美加子表情还很僵硬地做出了回答。可就在这个时候，警报再次响起。

“出现多鲁米斯人群体！追迹者部队，迅速返舰！”

“什么情况？”

“别问我！这是命令，赶快回去吧！”

里美从屏幕上消失了。同时出现的配置地图上，绿色的点阵掉转了方向向母舰返回。

——舰队决战？

“返舰！”

发出指令后美加子精疲力尽地陷进座位里。

“距离多鲁米斯人群体的距离为一万二千公里。个体数量超过一百个，还在不断增加。”

——是从飞行捷径锚点来的吗?

——传送门打开了吗? 看来返程的飞行捷径锚点是存在的，只是我们还不能自由掌握，我们只是被引出来了而已。

“别再磨蹭了，美加子！他们人数实在太多，根本无法对战。”

里美的脸再一次挤进了屏幕。

“就是说要逃吗?”

“唉呀，这是舰队总指挥官决定的。抓紧时间！”

多鲁米斯人到底打算干什么呢? 美加子完全搞不懂。

只有一点可想而知，那就是这些群体的出现是收到了刚刚被砍倒的多鲁米斯人的报告。

美加子把视线转到地图上。显示着多鲁米斯人群体的小红点像云一样散开，正在向战舰逼近。而且，这个群体的最后面，从空间中的一个点还在不断地涌出。

根本无法交战。

“舰队为回避与多鲁米斯人接触，将启动超空间引擎。正在执行任务的追迹者，全部立刻返舰。抓紧时间返舰。瞬间传送出口将以暗号化方式传达。各舰，请将瞬间传送开始时间设定在一分钟后。现在开始倒数。”

——我们此行的目的明明是来寻找多鲁米斯人的，可是好不容易找到了却要夹着尾巴从目标眼前逃走。

美加子为这种自相矛盾感到不甘心。

——如果不逃走的话，也许就可以完成任务了，可是……

而且，如果任务完成了，也许就可以退伍恢复自由之身了。

这才是求之不得的剧情发展，不过，看上去根本不可能。

总之，现在就算违反舰队的命令也无济于事。

处于殿后位置的美加子，全速向“里希提亚”号飞去。

经过了三十秒，“里希提亚”号已经近在眼前。准备返舱的追迹者还有两三个处于等待状态，只要排在她们后面就可以了，完全来得及。

美加子减了速。

“警告！多鲁米斯人靠近！”

机载电脑发出了警告声。

——怎么会？在这个时候？

美加子迅速环视了一圈，发现应该消失了的一个多鲁米斯人，从背后扑了上来。

本以为多鲁米斯人是扑向美加子的，可并不是。其攻击的目标是等待返舱的追迹者。

——不可以！

一旦对返舱闸门造成了打击，就不能启动超空间引擎——不，也许可能启动，但在实现瞬间传送的同时，有可能因为不堪重负而引发致命的损伤事故。

——我必须阻止！

“追上去！”

必须避免在临近母舰的地方进行弹炮互射。

因此，战斗的手段受到了限制。

美加子绕到了多鲁米斯人的前面。

只能用这招了——美加子拔出了光波刀。

砍过去！但对方躲开了，并完全无视美加子的存在，继续向“里希提亚”号逼近。

——不可以——过去！

美加子向从自己腋下钻过去的多鲁米斯人背后的外壳投射了绳索。

命中了！收回绳索。距离在靠近，从背后砍向多鲁米斯人。

这回多鲁米斯人没能躲开。

多鲁米斯人分成了两半，又变成碎片飞散在虚空当中。

“还有几秒钟？”

连喘气的工夫都没有。

美加子望向“里希提亚”号，正好最后一架追迹者的身影刚刚消失在返舱闸门中。

“里希提亚”号的周围开始出现无数闪光的粒子，好像要把它包裹起来一样，引擎已经开始启动。当整个舰体完全被光粒子包裹上的时候，空间会一瞬间发生歪曲，战舰将被瞬间传送到距离很远的地方。

“还有——十二秒。”

“来得及，但必须快点儿！啊——邮件！”

美加子把手伸进置物箱。

“现在不发送的话……”

超空间引擎会把我们传送到一到一点五光年距离以外的某处，从那里发送邮件回地球的话恐怕要一年多以后了。

可是，小置物箱里是空的。马上用眼睛在周围找了一圈儿，发现手机飘在头顶，在手够不到的地方。

——阿升……

你能等我到一年以后吗？

被光粒子包裹住的“里希提亚”号，回收了美加子操作的追迹者。

2048年9月　台阶上

这个夏天该怎么过，说实话真有些不知所措。

貌似也有若干个选项，但实际上哪个都没有胜出的理由。

就算不是这样，事到如今，不管怎么不情愿，也必须对未来有所思考了。

父母、老师、同学一哄而上地都来问我：“你将来想做什么啊？想干什么工作啊？”这怎么可能有明确的答案呢？因为，首先，就连我自己都完全搞不清楚到底该怎么办为好……

就算是在正常情况下脑子里的想法也很难梳理清楚，更何况我还比别人额外多出一个棘手的原因，搅得我心神不宁。

那就是长峰美加子。

什么？受到女朋友的影响连自己未来的出路都定不下来

了吗？也许我免不了被人责怪是个软弱的家伙，可是从两层含义上这个说法是不对的。

首先，长峰并不是我的女朋友；其次，长峰她也从来没有命令过我做这个、做那个的。

长峰只是相对关系比较好的初中同学之一。

她因为被联合国宇宙部队选中，在初中三年级的那个暑假突然从我眼前消失了。听说现在成为一名追迹者的操作者，踏上了寻找多鲁米斯人的旅程。不过是一个初中三年级的小女生——这确实听上去有点扯，我自己都不知道该怎么接受。说猫妈妈生了小狗崽儿，可能都比这个更有真实感。

这么扯的情节中唯一给我带来真实感的就是和长峰之间来来回回那几十封邮件。我和长峰并不是恋人关系，所以从这个意义上说我们并不是特殊关系。可是虽然不是恋人我们却无话不谈，从这个意义上说我们的关系又确实不一般。

我只是一个普通的高中生，可是，即使我在学习、在吃饭、在玩游戏、在上学的巴士上摇晃、在和同学胡说八道、在教室里靠着窗远眺操场发呆……在我的心里总有一个角落，那里藏着宇宙、多鲁米斯人和长峰美加子。

当然也曾偶尔觉得这些有点沉重。

也曾有过几次尝试着去想这和自己无关，试着不去理会长峰。

但是，从宇宙发来的邮件是无法抗拒的。

那是跨越了遥远的时间和空间寄来的邮件，联系着在完全不同的环境里、怀着完全不同的目的活着的两个人。

长峰的旅程还在持续，距离和时间都变得越来越遥远了。但不可思议的是，我对长峰的思念却变得越来越强了。

这种思念并不是简单的所谓的爱情，可能更是一种牵挂。而我真正明白这一点，是在长峰发来的邮件中止了之后。

长峰的最后一封邮件，是从冥王星发来的。

只告诉我她到了冥王星，这在长峰来说是一封非常简短的邮件。

从未间断的邮件，在那之后突然杳无音讯了。

会不会出事了？我不禁变得非常不安，脑子里闪现了最糟糕的情况。

那些糟糕的情况有一半都猜中了。

舰队遭遇了多鲁米斯人，而且进行了小规模的交战，舰队通过超空间引擎采取了跳跃一点一光年的躲避行动。作为不确切消息对外公布是在事情发生的四五天之后了。

当时，关于小规模的交战，我方是否出现了死伤者等细节的公开，又额外多等了三天。

据说出现了一名死者。

据说出现了无数的多鲁米斯人，我们和多鲁米斯人进行了交战。在这次交战中出现了阵亡者——这些消息无论哪一条都是很大的打击。

这个时候我才第一次明白，原来长峰参加这个项目，存在着极大危险，这让我感到愕然。

长峰每天都过着出生入死的生活！

不，非但如此，说到那个死者会不会……

一想到也许长峰就是那个牺牲的人，我便坐立不安。

特别是长峰又突然不再给我发邮件了，这更让人觉得不安。

无论是哪种情况，要确认长峰是否安全无恙都必须等待一年以上。这种事情，讲得通道理吗？结果已经出现了，可是要知道这个结果还要苦苦地等上一年！

长峰已经不在了什么的，我真的不愿去想。

我相信她一定还活着。

要不然，也实在太过分了吧！她是做了什么大坏事了吗？还是说，她就是单纯的那种超级不走运的家伙？如果她有和普通人一样的运气，现在就该跟我一起升入城北高中，过着一成不变的高中生活。

再也收不到长峰邮件的一年。

长峰生死未卜的一年。

这样的一年，是否能保持平常的心态，我对自己没有信心。

长峰不见得一定已经不在了，可是我却觉得自己的心里好像砰的一声出现了一个洞，莫名地空虚。好长一段时间我做什么都打不起精神来。

我满脑子都想着长峰，一直在等，这真的太辛苦了。

也许会被当做薄情的人，但我还是决定尽可能不去想长峰了。毕竟，怎么想也都无济于事。现在的我，没有任何办法可以与宇宙的宏大和时间的间隔进行对抗。

与这样尽可能保持平静的我相反，多鲁米斯人出现了的消息一出，世间更加喧闹了。曾经杳无音信的多鲁米斯人，在冥王星大举出现了。宛如司空见惯的科幻小说一样，人们不免联想到他们会不会趁机来攻击地球啊？简直就是全球规模的大骚动。

可是，实际上随着“里希提亚”号的消失不见，多鲁米斯人的群体也不知道跑到哪里去了，消失得无影无踪。于是全球性的混乱暂时平静了。可是，在恢复了冷静之后，出现了各种各样的声音。当然，其中最大的声音就是“要紧急强化全球规模的防卫体系”的呼声。

一想到又要把大量的国家预算投入到与联合国宇宙部队相关的事业中，难免让人唉声叹气。

难道时代又要倒退了吗？在“浪费是敌人”这样的标语

下，过着强制性的朴素生活，这样的日子又要回来了吗？话说，我们之前的生活已经足够朴素了。

同时，虽然只是极少一部分人，但是也有人对联合国宇宙部队及其下属组织宇航自卫队的封闭性提出了“应该信息公开”的批评的声音。契机就是因为和多鲁米斯人的接触中出现了牺牲者，而牺牲者的姓名并没有公开。被选拔的成员的亲属们相互联系，把从未公开的机组成员名单几乎完整地拼凑出来了。这一内容通过媒体发表后，在国内引起了些许波动。从日本选拔去的成员一共二百一十八人，全部都是女性。而且平均年龄只有十八点六岁，很多都是未成年人。

我从长峰的邮件中已经了解到机组成员的构成，当然包括长峰在内也觉得奇怪，想问为什么。我自身也曾感到疑问，现在通过媒体曝光了实际的情况之后，再一次想弄清楚这种奇异的选拔结果到底包含着怎样特殊的意义和必然性了。

在国会里这个问题当然也引发了讨论，对于在野党的追问，防卫大臣进行了艰苦卓绝的辩论。他说：“在设计追迹者时，为了提升搭载装备的水准，不得不削减居住的空间。其结果就造成从身高这个因素来看，年轻的女性最符合这个要求。而且，从近几年对宇宙劳动者进行调查获取的大量数据显示，在封闭的宇宙环境里，相对于男性，女性抵抗压力的持久力更为优秀，这一点是得到实际证明的事实。从这个意义上来说，候选者是女性，这是选拔标准最优先考虑的项目。”可是，这听上去不像是真话。

虽然也一时间闹得沸沸扬扬，但关于人选的这个议题终究还是被沸腾起来的防卫论这个更大的声音给彻底掩盖了。

我真正恢复平静，是在上了二年级之后。

其实我并没有彻底把长峰忘了，在我下意识的角落里应该还在惦记着她，可是我已经渐渐适应了再也收不到邮件这件事。

在那之后，因为再也没有出现过多鲁米斯人，所以一时间轰轰烈烈崛起的防卫意识也逐渐平息，世间又变回原来的平静。

在我如此平静的、某种意义上说简直是无聊的高中生活中，有一个意外事件伺机袭击了我。

那是六月份某天放学后。社团活动结束后我正准备回家，在毫无提防地打开的鞋箱里，它已经静悄悄地埋伏在那儿了。那一幕就好像在少女漫画里经常可以看到的场景，我做梦也没想到自己会是如此幸福的当事者。那是一个既没有写收信人，也没有写发信人名字的、小小的白色信封。一瞬间我有点不知所措，但很快我就大致猜到了其中的内容。反正那一定不是一封会引起骚动的决斗书，这点我敢肯定。

我把信封拿出来的时候，先环顾了一下四周，确认没有被人发现后，才匆忙地把它塞进书包里。

回到家后我马上钻进自己的房间，锁上房门，赶快拿出了那个信封。

把它端正地放在书桌上，向后退两三步。该怎么处理呢？我先从远处瞪着它看看再说，可是这么从容不迫的姿势我装不到三秒钟。

不管怎么说，对于十七岁的毛头小子来说，如此朴实、单纯的物品，具有立竿见影的效果。就像胡萝卜对于马、猫薄荷对于猫——我也绝不是例外。

我慌张而又谨慎地用剪刀剪开信封，取出了里面的信。

和朴素的信封正相反，我拿出来的信笺是淡淡的粉红色。

仅凭这一点毛头小子就已经飘飘欲仙了，可是日语的解读能力却一下子溃不成军了。信里面那些字里行间隐藏的含义，读懂它们花了很长很长时间。

写信的女孩叫高鸟瑶子，是个完全没听过的名字。

一年级 A 班，好像是下一个年级的。

喜欢你什么的，直截了当的话一句都没写。

“明天放学后，能给我点时间吗？坐在生态角旁边的长椅上，膝上放着一本《黑塞诗集》的长头发女孩就是我。”

第二天，毛头小子一直切切盼望着放学。

虽然也想过从同一个弓箭部的低年级同学那里收集点信息，但可想而知过后一定会被她们取笑，还是默默忍耐，等着时间到来吧。

果真有一个低头望着一本信中提到过的《黑塞诗集》的留着长发的女孩，如约坐在生态角旁边的木质长椅上等待着。我走过去，正在犹豫该用怎样的声音打招呼呢，她好像感觉到什么抬起了头。本来没抱什么期待，却看见一张远远超出期待的面容，毛头小子完全被对方的先发制人震慑了，说不出话来。

“我正在担心您不会来了呢。实际上从学长您走到距这里一百米的地方开始我就注意到您了……初次见面，我是高岛瑶子。”

从一开始，就被她牵着鼻子走了。

她既没跟我说喜欢我，也没提出要跟我交往。可是，就在她说着“可别耽误了你的社团活动”，听起来好像是赶我回去一样转身离开的时候，跟我扎扎实实地许下了下次见面的约定，而且还顺带着让我郑重地接过了那本我从来没想过要借来读的文库版的《黑塞诗集》。

我是彻彻底底地被她套牢了，就这样毛头小子和高鸟瑶子的交往开始了。

我们简直就像画里面画出来的一样，是健康美好的男女交往。

我就像她的贴身护卫，我们总是在她喜欢的地方约会。

当然，我还有社团活动，能够自由活动的时间是有限的。她简直就像我的私人秘书一样，总能很勤快地安排各种约会计划，让我的空闲时间得到最大限度的有效利用。

在学生月票可以使用的区域里，市立美术馆啦、图书馆啦、音乐厅啦，等等，她所选定的约会场所都是内容健康、价格合理的地方。这些公共场所此前都是与我无缘的，说实话我一直认为这种地方无论哪一个都是无法让我产生兴趣的超级无聊的地方。可是现在我已经完全被她牵着鼻子走，过去的无聊现在也觉得有趣了。

我不自觉地会对长峰和高鸟进行比较。

年龄上应该是长峰大一岁的，可感觉上高鸟反而好像大很多。我想这也不奇怪，在我印象中的长峰，一直保持着初中三年级时的样子，就好像被时间遗弃了一样停止成长了。

高鸟瑶子看上去很清纯，但她说话的方式或一些举止神态却给人一种成熟女性的感觉。她很聪明，身材高挑，长得也不错——不，岂止是不错，可以痛快地断言她是个美少女。可这么好的一个女孩子怎么会看上我呢？真是不可思议。

据她说，隶属于弓箭部的二年级男生寺尾升，在女生中还是相当受欢迎的。可是，看上去冷冰冰的，不喜欢别人举止轻浮，所以给别人一种性格乖僻的印象，别说是女生了，就算跟男生好像也不愿意主动交流。看上去要主动接近这种人物恐怕需要很大的勇气才行。一言以蔽之，大家都觉得我这人很难相处。

严重的误解。

不过，因为有长峰，我确实不太愿意应酬别人。周围的人都觉得我不太好相处，这一点我也知道。

好像高鸟反而就是对我这种不合群的地方感兴趣才来接近我的。

高鸟，填补了我心里的空白，融化了我那颗结了冰的心。

我是不是喜欢上了高鸟，连我自己也不知道。

不过，是高鸟给了我一个普通正常的青春，这一点是确确实实的，我非常感谢她。

可是，我如此甜蜜地度过青春真的可以吗？我感到十分内疚。我以为我已经把长峰关在盒子里锁上锁，封闭在内心深处的一个角落里了，可是我依然无法无视她的存在。

长峰的存在，经常会在我逐渐倾向于高鸟的心里踩下刹车。

如果听之任之的话就会一步步被高鸟牵制。两个人的交往发展，总被另一个冷淡的我从中阻拦。

“寺尾学长给自己砌了一道谁也进不去的墙。可是，总有一天我一定会帮你把那墙拆掉的。”

我还记得高鸟用思虑万千的眼神说这话的样子。

虽然不是北风和太阳的寓言故事，但被高鸟这么一说，我好像真的被太阳一般温暖的爱情包围了。可是，结果与寓言故事相反，我却越发裹紧了大衣，最终变成一个性格乖僻的旅人。真是的，硬着头皮死撑也该有个限度。

明确长峰生死的日子就要到了。

我，马上就要被召回到另外一个现实中去了，那个必须由我一个人去面对的现实。

那天，我下定了决心。

等长峰这边的结果出来了，再去决定是否接受高鸟，这种自私的做法我是做不到的。就算你问我为什么，我也没办法说得清楚。

我下的这个决心好像已经被高鸟看穿了。我去找她说今天不要参加社团活动了，一起回家吧！她一开始和平时一样很开心地点了点头，可在那之后就露出了一副有点落寞的表情。我们下了平时坐的电车走出车站的时候，外面下起了九月的冷雨。我拿出折叠伞，两个人一起撑着。

高鸟无声地朝我依偎过来。从还没换季的夏季校服袖子里露出来的手臂又细又白，看上去很冷，时不时会碰到我的胳膊，又软又凉。

我们走到一个上坡的楼梯前时，我想我必须要说了。再往前走，我就必须送她回家才行了。

我停了下来，上前半步走到她面前转过来对着她，说了——

“对不起！我们不能继续交往了。”

结果她微微点了点头，用几乎消失的声音说：“我知道的。”我把伞递给她，转身跑进了大雨里。

我不回头地跑上了混凝土浇筑的台阶。

就在这段台阶上来的地方有我怀念的东西。

那就是，那个夏天我和长峰一起躲过雨的小屋，那个用预制板搭建的等公车的小屋。

上学的路线改变了，每天经过的地方和遇见的人也都改变了。这里已经有两年完全没有来过了，可是周遭的景色并没有什么变化。这个没人用的小屋感觉多了两年的陈旧，却还依然坐落在老地方。

我松了一口气，钻进了小屋里。

里面一个人都没有。按理说应该有一群小猫在这儿开会才对，但是也没有。

我坐在长椅上，挤了挤淋湿了的衬衫袖口。

我一边自嘲自己真是个傻瓜，一边抬头望着天，我决定在这里等到雨停。

就这样呆坐了大概二十分钟的时候，手机猝不及防地响了。

那是终于完成了一年的旅程蹒跚而至的来自长峰的邮件。

文章只写了一半，但好像是在瞬间传送结束之后发出的，这点似乎没错——也就是说，长峰她还活着！

静静地，一股喜悦涌上心头。

2047年9月　天狼星

“里希提亚”号舰队瞬间传送后抵达的地点是“天狼星航线 β”，周围什么星系都没有，是一个被黑暗包围的虚无空间。

美加子在追迹者上迎来了被传送的瞬间。当时她的追迹者刚刚被回收到战舰内，正在被运往停机仓库的途中。

当响彻战舰的倒数数到十的时候，所有的主要电源全被切断了，舰内一片漆黑。

运送美加子追迹者的运输箱也停在了轨道上。

为了安全，追迹者内部的电源和战舰整体保持联动，也被强制性切断了。美加子孤零零一个人被丢在了黑暗里。

突然造访的多鲁米斯人，还有第一次实战。

这亢奋的余温还未散去，美加子的心还在怦怦乱跳，呼吸急促，膝盖抖个不停。

比起在交战中获得胜利，反而是与多鲁米斯人正面对视时的恐怖感带来了更强烈的冲击力，让美加子整个人都僵住了。

被触手形成的牢笼困住时，那种无法言喻的恐怖感；用光波刀劈开对方时，那种皮开肉绽带来的活生生的手感……在反复多次的演习之后本该感受到的那种痛快淋漓的疲劳感，却一点都没有。

——这，跟社团活动根本是两码事！

我被卷进一个大麻烦里了，事到如今，美加子虽不愿意但也必须承认这个事实。

在黑暗中孤单的一个人。要早点回到同伴中去，要把刚才发生的事和自己看到的事全都说出来。美加子觉得只有把这些都跟别人说了，自己沉重的心情才能变得轻松点。

传送的瞬间，整个操作舱都在不安分地抖动。追迹者内部的每一个角落都发出了高频率的摩擦声，好像每一个细胞都要被捣药槌碾碎了一样，浑身被一种前所未有的不适感包围着。整个身体充满不可思议的感觉，好像被朝某个方向拉扯着、吸引着。

只有短短几秒传送就结束了。

追迹者的电源恢复了，再稍等了一会儿，运送追迹者的运输箱也重新启动了。整个船舱内响起了广播，宣告传送结束了。

舱内的机械装置很快恢复了功能，可操作员们要恢复行动却需要一段时间。虽然那种说不出的不适感渐渐地消去了，但浑身僵硬和虚脱的感觉却一直不肯散去，身体还没办法活动。

——啊！必须要告诉阿升一声才行。

拼尽全力扭过身子把手伸长，捡起了掉在地板上的手机。手指还不听使唤，没办法再添加什么内容了，好不容易按动了发送键。

——能不能收到呢?

是不是对现在所在地表示怀疑呢？手机作出邮件送达所需时间的显示，花了好长时间。

398 天 13 小时××分××秒

这个显示恐怕是手机以它自己的方式对没有自信作出的一种表达。

——阿升，已经上高二了啊……

美加子感到一丝落寞。

几乎是以爬的方式离开了追迹者的操作舱，洗了一个淋浴后又以几乎是滚的方式回到了分配给每个人的单人房间。刚一进屋，就传来了呼叫声。

是从舰桥发来的。

美加子她们这些追迹者操作员所居住的区域和以舰桥为中心从事战舰操纵工作的工作人员们居住的区域是截然分开的，两方的人几乎没有直接见过面。

美加子也听说战舰里大概有不到三十人的舰艇操作人员，可是在舰内却一次都没有见到过。这还是第一次被叫到舰桥里去，而且叫她去的人是比舰长职位还要高的舰队总指挥官。得知这个情况，她感到很吃惊。

到舰桥的路程，感觉上比实际更漫长。

把美加子请进总司令室的人是五十多岁、长着蓝眼睛的指挥官吉尔伯特·洛克莫夫。美加子虽然通过屏幕见过他几次，但直接见面还是第一次，所以有些紧张。

指挥官洛克莫夫用和蔼可亲的笑容迎接了美加子。之后便用流畅的日语说道：

“长峰君，辛苦你了！”

并请美加子入座。

“正因为有你出色的表现，我们获取了关于多鲁米斯人的非常重要的数据。我要发自内心地感谢你！”

他伸出粗大的手要求握手，美加子给与了响应。

“你立了大功，我正在考虑给你什么奖赏。在舰内的生活你有什么觉得不方便的地方吗？或者有什么想要的东西、想吃的东西吗？”

原来是要颁奖啊，可是还被当做小孩子看待，这让人有点不爽。

“比起这个，我想请教您几个问题。请您认真回答。”

“问吧。”

指挥官坐到办公椅上端正了坐姿说道。

“我们和多鲁米斯人交战，是正确的吗？”

指挥官并没有马上回答。

“多鲁米斯人是我们的敌人吗？”

指挥官陷入了深思。

“说实话，这一点我目前还不知道，因为我们还没有掌握和多鲁米斯人沟通的方法。我们对多鲁米斯遗迹出土的文物进行了分析，却没能找到任何可以帮助我们了解多鲁米斯人语言的线索，也就是说，多鲁米斯人好像并不拥有相当于我们的文字一样的东西。”

“那么，也就是说我所进行的战斗，也有可能是错误的，是吗？”

“不，你必须战斗。实际上，我们也出现了牺牲者。如果不战斗，我们一定受到了攻击。”

“那么，如果我们再次遇到多鲁米斯人，还应该战斗吗？”

“那要看情况。请你听从指挥。要不要战斗，我会进行判断。”

“我知道了。就是说听从指挥就好了。”

深深点头认可之后，洛克莫夫指挥官改变了说话的声调。

“对了，我有个事情想问你。在战斗中，你曾被多鲁米斯人用类似触手一样的东西包围过是吧，那个是一种攻击行为吗？”

“怎么说呢，虽然我没感觉到那是一种攻击，但是也许在那之后多鲁米斯人就要攻击我了。我被多鲁米斯人巨大的眼珠死死地盯着，觉得特别难为情，感觉特别不舒服……”

“被盯着而觉得难为情……我知道了，搞不好多鲁米斯人也正在对我们进行试探性的侦察呢。嗯，谢谢你！今天你就不用去值班了，好好休息一下吧。对了，后天，舰队还要进行大移动，要利用飞行捷径锚点进行瞬间传送，目的地是天狼星星系。是距离地球八点六光年的地方。如果有必须联系的人，请在今明两天之内联系吧。”

——距离地球八点六光年！

只听到这一句，已经要晕倒了。

阿升：

美加子现在在距离地球一点一光年的地方哦。

阿升，你现在已经是上高二了吧。

昨天的邮件你有收到吗？是一封没写完的邮件，对不起啊！为什么连招呼也没打一个就一年多没给你发邮件，大致的原因你应该知道了吧。

没错，多鲁米斯人突然现身了。而且，利用超空间引擎也是很突然的决定，我实在来不及发邮件了。昨天的邮件只是想告诉你我没事，就把写了一半的邮件在瞬间传送结束之后发给你了。

可是，还是让你担心了。真对不起！

还是说，因为等的时间实在太长了，所以阿升你老早就已经把美加子忘到九霄云外去了呢？

总之，美加子健康无事。

可是呢，今天又有一个重大的消息。

明天，整个舰队还要进行瞬间传送。

这次要使用飞行捷径锚点做一次大胆的长距离跳跃，要跳去距离地球八点六光年的地方。

美加子，这次真的要去很远很远的宇宙了哦！

这也就意味着，今后我们互相传递邮件需要花上整整八年零七个月。

我们两个，简直就像被拆散的情侣，一个在宇宙，一个在地球。

收到我下一封邮件时，阿升已经是二十四岁了。

关于美加子，可否请你不要忘记？

那么，晚安！

来自假装自己是悲剧女主人公的美加子

完成了瞬间传送，迎接“里希提亚”舰队成员们的，是一派令人怀念的景色。

熊熊燃烧的红彤彤的太阳和围绕在它周围的行星们。

在飞行捷径锚点被发现后的准备调查阶段，人们发现在一个被命名为阿加尔塔的天狼星第四行星上具备和地球非常相似的环境。

在瞬间传送的前一天晚上，美加子她们这些追迹者的操作员全部被召集到了餐厅，接受了一个关于阿加尔塔调查计划的简单的讲解。

作为短期目标，他们将在阿加尔塔全境进行地面调查，看看这里是否有多鲁米斯人文明的痕迹。而作为长期目标，则要在该星上建立据点，为了向更远的宇宙出发，去寻找多鲁米斯人做一个跳板。

可是，这些说到底也只是调查计划的一个粗略的蓝图，关于调查期的时间也是根据调查的进展来决定的。

瞬间传送完成后，舰队迅速转移到阿加尔塔卫星轨道上。

花了半天时间拍摄了卫星照片，并依据这些照片制作了相当精确的地图。

根据这个地图，对每艘舰船负责调查的区域进行了划分。进而，每艘舰船都组织了调查队，并将调查区域细分为网格，公布了每一个队员分担的任务。

为了调查，把追迹者基本平分为降落到地面的和留在舰船里的两组，每十二小时交换执勤。在地面进行调查的队员，要把十二小时最大限度地投入到调查活动中；而在舰船中待命的队员，则可以休息调整，并时刻待命准备紧急出动。

调查期限并没有明确通知，如果没有遇到什么阻碍，可以顺利地按照时间表进行的话，预计一个月就可以完成对所有网格的调查了。

十艘舰船都在各自担当的区域上空下降并散开了。

接着，从每一艘舰船上，执行调查第一天第一班任务的追迹者约五十架也顺次降落到地面上去了。

冲入大气圈之后，当脚下的风景逐渐清晰，美加子看到了一幅令人心旷神怡的画面。

映入眼帘的是久违的绿色。

阿加尔塔的大地，完全被清一色的绿色覆盖着。

自从回到月球基地以来，一直都生活在千篇一律的金属色的包围之中。在太阳系内，顺路经过的所有行星和它们的卫星，都未曾看到过让人感觉有生命迹象的颜色。

原来这一年零几个月，都一直生活在一个干巴巴的环境里啊。美加子看到了阿加尔塔的绿色之后，才痛楚地感受到这一点。

低空中飘浮着白色如棉花般的云朵，透过云与云之间的缝隙可以窥视到覆盖在地面上那草原的黄绿和森林的深绿。随着高度的下降，地面上的景象就越来越清晰了。这里有山岳、有丘陵、有溪谷、有河流，湖面反射着阳光。

同时下降的五十架追迹者，在到达距离地面一千米的高度后，像一把大伞一样向四面八方散开了。

美加子和负责旁边区域的僚机共五架组成了一个编队，朝目的地飞去。

在低空，能确认到类似鸟类的生物列队飞翔。

真是令人感动的画面。

在地球以外还存在着充满生命的星球，自己正在作为第一发现者接触着这幅画面。

在接近了各自负责的网格之后，解除了编队飞行。

美加子又变成了孤独的一个人。

着陆了，周围是和缓起伏的草原地带。

当追迹者把脚用力踩在大地上的时候，从她脚下的草地里有很多不知名的小动物好像受到惊吓似的跳了出来，沐浴着阳光一瞬间露出了它的样子，又马上钻进草丛中消失无踪了。

美加子所负责的网格是单边大概一百公里的正方形，是一个很广阔的范围，超出了想象。如果认真进行搜查的话，是无论如何也完成不了的。

可美加子还是按照命令开始了步行调查。

脚踩着大地的追迹者，开始一步一步往前走。

这是在月球基地反复练到吐的一个基本动作，真没想到在这里发挥了作用。

周围视野所及是无垠的草原，多鲁米斯人的痕迹，恐怕是想找也找不到的。

无聊的行走开始了。

——痕迹？是指什么？

不存在地上建筑物这个情况，在制作地图的阶段已经一清二楚了。

美加子决定自己操纵两个小时左右，后面就交给机载电脑进行操纵了。

这里跟地球上的风景好像啊！美加子再一次这样想。

可是实际上在地球上这样的风景已经看不到了。

阿加尔塔的大自然是真正的浑然天成的大自然，阿加尔塔的大地到处洋溢着生命，可是在这里，却完全感受不到任何让人觉得有智慧生命体存在的气息。

这个关键的不同点，反而让美加子更加怀念地球上那个就在自己身边的熟悉的风景了。

草原开始不安分地骚动起来。起风了，黑云逐渐盖住了天空。

美加子让追迹者停住了脚步。

——啊，下雨了。

就像夏天的骤雨一样的大雨滴，啪哒啪哒地从天而降。

被雨打湿的追迹者始终默默地站着，越下越大的雨把地面重新涂上了新的颜色。从云缝间，阳光像聚光灯一样投射下来。

在抬头仰望天空的美加子的眼睛里，有闪闪的泪光。

——好想淋淋雨啊！

——好想一起去便利店吃冰淇淋啊！

美加子闭上了眼睛，说出了一直憋在心里的那句话。

——我好想你啊，阿升！

顺着脸庞滑落的泪水，打湿了学生制服的短裙。

> 二十四岁的阿升，你好！
>
> 我是十五岁的美加子哦。
>
> 我跟你说啊，我现在还是，非常非常喜欢你！

美加子带着祈祷按下了发送键。

——拜托！请一定送到啊。

自从被带走到现在，整日起早贪黑地接受训练，完成课题、掌握要领，这已经让美加子筋疲力尽，连回头审视一下自己的时间都没有——不，应该说是一直用这些事逼着自己，而故意对那些难以接受的不合理的事情闭上了眼睛。

可是，已经到极限了。

美加子哭了，尽情地哭了。

一整年都没有流过的眼泪，倾泻一般溢出眼眶滑落下来。

一直哭到眼泪干涸，哭到浑身无力，她精疲力尽地靠在座椅上。

突然，她觉得有谁在。

——谁?

在睁开眼的一瞬间，一道炫目的光射入眼帘。

有若干个影像，瞬间掠过了视网膜。

自己家那个高层公寓、穿着剑道服的自己，在铁道路口等货车开过的自己，一个人都没有的教室、杂乱无序的课桌、黑板上画着寺尾升和长峰美加子同打一把伞的涂鸦，阿升骑着自行车载着的自己，在摇晃的巴士里假装睡着了而靠在阿升肩上的自己……

都是那么令人怀念，就好像是封存在心底的相册，无法忘记的影像。

可是，有谁在偷看，瞪着大大的眼睛在偷看。

一瞬间，多鲁米斯人的身影穿过了视野。

大吃一惊的美加子猛地抬起头。

在草原上，自己正面对着谁，轻飘飘地浮在半空中。

接着一个稍稍年少一点的自己出现在眼前。

“我说，你终于到这里来了。”

年少的美加子温柔地说。

“成长为一个大人是需要一些痛苦的。不过，你们一定会一直一直往前走，一直走到更远的银河边际……所以，请跟我来吧！我有事要托付给你们。”

美加子满脸悲伤的样子，像个撒娇的孩子一样猛烈地摇头拒绝着。

“可是我，我只想见阿升……只想跟他说一句，我喜欢他……”

已经哭干了的眼泪，又一次溢出了眼眶。

美加子伏下脸哭了起来。她在一个人都没有的初中教室里，伏在书桌上哭了起来。

夕阳照了进来，把教室染成了红色。

“没事的，一定还能见到的。”

这次是已经长成大人的美加子温柔地安慰着已经哭得溃

不成军的美加子。

大人的美加子说了声再会，便转过身去了。再一回头，两个美加子已经被一条铁道线隔开，站在铁道路口的两侧了。美加子正要去追，可拦截杆儿放下来了。JR 的货车从眼前飞奔而过。那边，已经空无一人了。

路口和铁道线，不知不觉间都没有了。

视野中展现的，还是阿加尔塔的草原。

不知什么时候，雨已经停了，草原上的草叶都闪着生机勃勃的光。

——刚才是怎么了？是梦吗？我，刚才睡着了吗？

可是那影像实在太逼真了。

——其实，你是多鲁米斯人吧？你为什么要和应该是你的敌人的我说话呢？

大吃一惊的美加子环视了一下四周。

追迹者正站在大地裂缝边缘的一个悬崖上。

——什么时候走到这里来了？

美加子让追迹者弯身蹲下来，并向悬崖下面望去。

“这是——什么？！”

跟在什么地方见过的景色很相似。

——对，是多鲁米斯遗迹。

形式完全一样的住宅遗迹，层层叠叠地附着在崖壁上。

——找到了！因为这里是阿加尔塔，所以应该叫阿加尔塔遗迹。

必须马上汇报才行。美加子刚打开通讯线路，却响起了呼叫美加子的警报声。

“出现多鲁米斯人！出现多鲁米斯人！”

很快屏幕被切换为任务地图。

“各地出现的多鲁米斯人正在对调查队进行袭击。告全体队员，立即迎战！”

——为什么？这就是你所说的痛苦吗？

从天空中有某个东西正在以极快的速度俯冲下来，撞击在距离美加子一公里开外的地面上，形成一个巨大的火柱。

——为什么一定要战斗呢？

美加子用手背擦干了眼泪，换成了另外一张面孔。

那是一张战士的面孔。

2048年9月　阿升的房间

从太阳系的外缘，长峰发来了第二封邮件。

我们两个，简直就像被拆散的情侣，一个在宇宙，一个在地球。

我不由自主，停下了按按键的手。

不知道这算是时机太好还是太不好，对于刚刚甩了（？）高鸟的我来说，这内容太过沉重了。

只是短短的一年，就变成了这个样子。

那么，八年零七个月到底意味着什么？我一时半会儿想象不出来。

就算长峰她本人恐怕也没想到会踏上这么远的旅程吧？之前也没人跟她提过任何一句吧？

这就是欺骗！诈骗！人贩子！圈套！过分！实在太过

分了！

我的愤怒应该向谁发泄呢？

我所能做的事，就只有和长峰共同承担这份愤怒了吧。

不仅如此，还有更残忍的是，苦等了一年，还好终于等到了邮件，可是我却没有办法回复。

可以确定的是，长峰现在已经不在邮件上所说的太阳系的外缘了。而且如此说来，她是否还在下一个目的地天狼星星系也无从可知。

那么，我要给长峰回信，就要等到八年零七个月后，等长峰到达了天狼星星系再给我发来邮件之后了。可是，真等到了那个时候，搞不好长峰又已经去了别的地方了。

最终，我对于长峰来说，就变成了一个只是在等她邮件的存在了。

我在想，在这八年零七个月的时间里，长峰会不会有短期回地球的机会呢？也许，超空间引擎已经不好使了吧？如果使用亚光速引擎，无论它怎样高效加速以接近光速，也需要花费将近多一倍的时间。

也可以认为她们很走运，已经找到了返程的飞行捷径锚点。然而已经过了一年的现在，长峰还没有回来，可见从天狼星返程回来的飞行捷径锚点可能还没有找到——不，也许找是找到了，但根据上层的决策她们还在继续服役中，也许只是还没有允许她们回来。

现在我除了继续等待还能做些什么呢?

时间充裕得让人绝望。

我要给自己定一个明确的目标，并朝着它努力。

我决定不再毫无意义地敲打那扇永远不会打开的门了。

我要把心门紧紧关上，就这样一个人慢慢长大成人——我下定了决心。

2056年3月　防卫大学宿舍

真的过去了再回头看，八年什么的也没什么了不起。

我不再一味地等待长峰发来的邮件，开始探索属于自己的路，并做出了选择。可是，我并没有忘记长峰。

那个时候用过的手机，现在还没有丢，一直用着。

虽然说是一直用着，但它已经成为长峰专用手机，一直没有响过。

可是，我却不间断地充电，从没忘记去办理续约手续。

所以，如果一切正常的话，估计这两三天就该收到长峰发来的邮件了。

我现在坐在住了六年的大学宿舍的房间里，沉浸在一种小小的幸福感里发呆。春天柔和的阳光照进我的房间，风还是凉的，但我却把窗子全打开了。

这是个六张榻榻米大小的房间，却感觉异常宽敞。

刚住进来的时候就这样吗？我试着回想六年前。

搬家公司好像是搞错了，竟然提前了一天跑来了。把我还在收拾的东西一股脑儿全部装进集装箱，不由分说地拉走了。

所以现在房间里什么都没有，因为连被褥都被拉走了，所以昨晚只好从低年级的几个人那里借了些多余的被子和毯子什么的对付了一晚。这个礼拜我还可以住在这里，当然也没有必要勉强自己住在这里。

房间里仅存的是装着换洗衣服的旅行袋和挂在墙上的联合国宇宙部队的制服。只有这个是绝不可以跟搬家的行李混在一块儿的，我硬是从搬家公司的人手里把它夺了回来。

从这个春天开始，我将作为一名通讯工程师去战舰上工作了。

高二时决定的这个升学方向，我觉得还是很正确的。

虽说那个时候宇航自卫官还没有像现在这么热门，但一说要考防卫大学就变成了千军万马要过的独木桥了，能考上也是我拼尽了全力努力学习的结果。尽管如此，我也没想到能够直接被派到战舰上工作。宇航自卫官从组织结构上看确实会被编入到联合国宇宙部队中去，但分配到战舰上工作的就是凤毛麟角了。

我考的是工学系通讯专业，一直读到了研究生。

毕业后也可以留在大学里继续从事研究，但我特意选了去第一线，因为从一开始我就是这么打算的。

因为长峰，我对宇宙产生了兴趣。

这么说听起来很好听，其实那是骗人的。

十六七岁毛头小子的行动原理什么的，铁定都是些更单纯的、实在没办法放在桌面上讲的东西。

没错，我就是想再次见到长峰才选了这条路。

什么喜欢不喜欢的，其实都不是那回事。

我也没想过见了面又能怎样。

我只是想见到她，亲眼看到她平安无事，亲口告诉她我不是只会傻等她邮件的人——我只是为了这个。

还有，我只想，只想问问她过了九年之后的现在，我们是不是还可以像初中那时候一样共同拥有一些东西。

——不过嘛，这些都是我自己一个人的胡思乱想，也许长峰已经不记得我这个人了，但真那样也没关系。

首先，即使我们两个同样隶属于联合国宇宙部队，也未必一定能见上面。现在就等第一批多鲁米斯人考察队的报告出来，应该马上就要集结第二批多鲁米斯人考察队了。虽然并不是出自正规途径，但我已经掌握了这个内幕消息。

而且，我也想过有可能永远都见不到了。

我听到这样一个传闻——

“星际宇宙战舰里装载着冷冻精子和受精卵。”

当然，是人类的。

这话什么意思呢？听说第一批考察队选拔的队员是没有服役期限的，也就是说直到找到多鲁米斯人为止，可以一辈子不回来的。

不仅如此，还听说哪怕是用几代人也好，不完成任务誓不返程。因此，为了让她们生育培养出下一代队员，所以选拔出来的队员才会全部都是年轻女性。

泯灭人权也应该有个限度吧？这真是不可理喻！

但现在是非常时期，假设这个传言是真的并对外公开了的话，恐怕引起社会舆论的反对也只不过是一阵子而已。

长峰现在也许已经成为一个妈妈，正在某个星球养育自己的孩子。虽然不愿意去想象，但还是作为可能性纳入到思考的范畴里，做好了一旦发生这种事也能够冷静接受的心理准备。

然而，如果出于同样的目的，第二批考察队也都只招女性的话，那么毫无疑问就没我什么事儿了。我甚至曾经想过去做变性手术了，可是不能生孩子也是没有意义的啊，所以很快就放弃了这个想法。

但那也比待在地球上无所事事强啊！怎么说再见面的可能性就会高一点啊！毛头小子的想法很单纯的。

如果说这六年我的想法从来没有动摇过，那也是撒谎。

也有一段时间我觉得做个普通的工薪阶层也挺好的。

不过，最终我还是来到了这里。

我感谢长峰。

虽然不是很着急，但我今天计划回老家。

我想整个上午可以悠闲地再在这儿待一会儿。

正在我刚要准备出发的时候，手机响了。

二十四岁的阿升，你好！

我是十五岁的美加子哦。

是一个只有两行字的邮件。

后面都是乱码，没办法解读了。

可是，我觉得邮件能够寄到已经是一个奇迹了。

美加子的思绪，跨越了遥远的时间和空间传递到我这里来了。

十五岁的美加子，到底想跟我说些什么呢？

现在二十四岁的美加子，她在哪里，在做什么呢？

还有，她在想什么呢？

好想见面，我迫切地想见她。

2047年9月　阿加尔塔

屏幕上不断更新着有关袭击的数据。

分配到阿加尔塔全境的五百名调查队员、五百架追迹者的所在地以绿色小点的形式显示在球状的地图上，而和它们基本同样数量的红色小点，好像和绿色小点重叠在一起一样不断地被标记出来。

已经燃起战火的地方，会由一个被小方框围住的数字表示出来。这个数字很快就跳到了两位数，没过一会儿工夫就变成了三位数。

警报响了。

从天而降的猛烈一击之后没过几秒钟，一个多鲁米斯人向美加子袭来。

“在哪儿？”

抬头看天上。

一个银色的多鲁米斯人撕开云朵急降而来。

“为什么？我不明白，我不明白啊！”

美加子咬紧牙关，开始了战斗。

把助推器火力推到最猛，追迹者从草原垂直飞上天空。

与此同时，美加子朝上空发射了八枚导弹。

多鲁米斯人向前放出了红色的光波做横砍的动作。

被红色光波穿透，四枚导弹不堪一击地在空中分解了。

剩下四枚立刻散开，避开了电波的照射。

“要打中啊！”

这期间美加子让正在上升的追迹者横向偏出轨道，并向敌人多鲁米斯人预计通过的地点发射了火神式机关炮。

多鲁米斯人也并没有束手待毙，砍掉了导弹之后立刻把光波对准了追迹者。

追迹者的感应器瞬间对光波做出了反应，打开了电磁装甲。

随着光波射来，散发着骇人光芒的闪电在电磁装甲面上狂窜。

屏幕画面一瞬间发生了巨大的扭曲。

“没事，能行！”

抵御了第一波攻击。

美加子回头看已经降低到几乎是同一高度的多鲁米斯人。

多鲁米斯人躲过了剩下的四枚导弹，也躲过了无数的炮弹。

“这次一定要打中啊！”

美加子停止了上升加速，向下方展开第二波攻击。

多鲁米斯人转而上升，再一次放出电波。

多鲁米斯人擦身穿过机关炮弹编织的网，进一步上升。

“打中了吗？”

覆盖了电磁装甲，美加子因强烈的闪光而失去了视野。

等到视野恢复的时候，多鲁米斯人已经完成了上升动作，升到了很高的高度。

警报再一次响起。

“轨道上出现多鲁米斯人群体！追迹者部队，结束地面战后，马上支援保护各自所属母舰！”

把视线转向屏幕。前所未见的大型群体，在地图上形成了红色的一大团。

分散在阿加尔塔环绕轨道上的各个母舰，为了进行舰队作战而开始向“里希提亚”号附近集结。

“必须快点儿！”

看了一眼地面战的地图。

在战斗已经结束了的区域里，打着一个“×”。敌人和同伴伤亡的情况，以一个没有表情的数字并排显示着。“追迹者部队——23”的数字，瞬间增加到了24。

——这些，都是被击落了吗？

多鲁米斯人一方的数字是19，而且个体的总数还没有计算出来。

地面战斗地图上的红点，非但没有减少，看上去还在不断增加。

应该是从位于地面某处的基地，正在源源不断地输送援助部队吧。

“不能再磨磨蹭蹭的了！”

美加子追着多鲁米斯人不断上升。

穿越了低空的云层，地面上的状况可以尽收眼底了。

草原、林野、半空。

在视野能够看到的地方，有十几个地方冒着硝烟。

——这也太过分了！

胸口燃起一股说不出的愤怒。

——这哪里是考察队啊？这明明就是来打仗的嘛！

美加子全速追赶多鲁米斯人。

——行为好诡异。

多鲁米斯人的速度减慢了。

美加子迅猛地追上去，紧紧地贴在多鲁米斯人身后。

可以看到多鲁米斯人银色的外壳上有一块红黑色中弹的

痕迹。

——原来打中了啊。

为了甩掉美加子，多鲁米斯人突然开始急速下降。

美加子也紧跟着回旋下降。

从后面用火神式机关炮猛烈袭击。

命中了银色外壳上的突起物，把它打飞了。

多鲁米斯人失去了平衡，旋转着坠落了。

——还没结束！不能让你跑了！

美加子追了过去。

眼前展开一片湖水。

就在坠落前的一瞬间，多鲁米斯人重新找到了平衡，掠着湖面开始了水平飞行。虽然想要爬升，机头却抬不起来。

多鲁米斯人朝向那一片绵延到湖岸的森林，一头扎过去。

哗啦啦地掠倒了一些高大的树，多鲁米斯人好像崩溃一般停住了。

追赶而来的美加子，牢牢地把多鲁米斯人踩在了脚下。

“对不起，我得做个了断！”

她挥出光波刀，猛扎进银色的外壳里。

拔出后，鲜血飞溅得很高很高。

“必须抓紧时间！”

没有片刻休息，美加子又起飞了。

在地图上确认母舰“里希提亚”号的位置，并继续急速上升。

舰队已经完成集结，以旗舰“里希提亚”号为轴心，呈扇形布阵。

穿过平流层后就不是在地图上，而需要通过机载照相机拍摄的影像画面来掌握舰队的状况，结束了地面交战的僚机也一个接一个地开始朝向母舰集结而来。

“美加子，你没事吧？”

切入屏幕的是里美。

“啊，里美姐，你在哪儿……？”

美加子在被挤到一边的地图上寻找。

“我老早就回来护卫‘里希提亚’号了。可能是比较走运吧，我担当的网格并没有受到袭击。”

围绕着旗舰“里希提亚”号的小绿点当中有一个在闪，那显示的就是里美所在的位置。

“其他人呢？”

“现在没办法跟你说，牺牲的人当中有我们认识的。不过，你先别问我是谁了，因为有可能刚告诉完你我也牺牲了。听好了，总之现在先不要想别的，把注意力集中到战斗上来。专心想想怎么能活下来！等一会儿战火熄灭了之后，如果你还活着，记得马上要喊我啊！”

“里美姐……”

里美做了一个笑脸，可她的眼睛却完全没有笑。

“敌人从下面源源不断地冲上来，接下来要忙了！”

“我们必须要保住‘里希提亚’号啊！”

“嗯。”

“那么，祝我们好运！”

里美不自然地抛了个媚眼，就从屏幕上消失了。

美加子心想，真的不想待在这里，真的想马上从这个地方逃出去！

好想现在立刻飞回地球去，好想见阿升啊！

好想见到他就跟他说：“我喜欢你！”

——为什么当初说不出口呢？

——上初中那会儿，明明有大把的机会说……

——为什么会变成现在这样子呢？

现在，好想跟他说。

好想告诉他，我喜欢你。

趁着此刻我还活着。

——我必须活下来。

——直到我的心意可以跨越时间和空间传递给阿升。

——直到二十四岁的阿升收到了十五岁的美加子的

心意。

“警告！”

机载电脑发出了警告。

“下方有多鲁米斯人靠近。三机编队，距离八百。”

检查火神式机关炮剩余弹药情况。

检查导弹剩余情况。

“只能尽我所能了。”

美加子让追迹者掉转了方向。

舰队决战静静地拉开了大幕。

多鲁米斯人的群体组成了阵形，悠悠荡荡地接近了舰队。

大型多鲁米斯人尺寸上比宇宙战舰要小一圈。外观好像是把纺锤压扁了的形状，和宇宙战舰很相似。表面虽然闪着和普通的多鲁米斯人的外壳一样的银光，但他们却不规则地长着类似针刺的突起物。

大型多鲁米斯人的数量接近五十个。

所有的大型多鲁米斯人都把鼻尖儿对准了舰队，缓慢地缩短着距离。

缓慢到仿佛是打算把对方引诱到自己的射程之内的感觉。

当距离缩短到足够近的地方，附着在大型多鲁米斯人身上的单体的多鲁米斯人同时分离出来，向四处散开。

舰队这边为了对抗这种情况，也把原来在舰内待机的追迹者一口气全部派上了战场。

骇人的空中交战在两阵的边缘开始了。

数量上的优势充分地体现在战况上，多鲁米斯人一方从交战一开始就占据了优势。

追迹者部队只能背对着母舰疲于防守，没有任何反击之力。

单体的多鲁米斯人，并不拥有占据绝对优势的武器，他们只用红色的光波进行战斗。追迹者配备的电磁装甲是非常有效的盾牌，但如果连续不断地受到进攻的话，装甲就会被击破。

被好几个多鲁米斯人团团包围，受到光波的集中照射攻击，追迹者一个接一个地沉入暗黑的大海。

在多鲁米斯人的优势不受动摇的状况下，双方进入焦灼的消耗战。

装备的炮弹全部打光了的追迹者，为了接受补给暂时撤退到了回收闸门。可是补给的替换也越来越困难了，因为保护闸口安全的追迹者也已经自身难保。

全力对抗开始已经一个小时了，完全没有办法轮流去补充补给。进行了一圈最后的补给之后，回收闸门就专门用来回收那些已经不能战斗的追迹者了。

美加子进行了最后的补给，操控瓦斯的储气瓶、炮弹、导弹、快速充电。她麻利地完成了这些东西的补给，连喘息一下的时间都没有，就通过弹射器飞出了舰外。

被弹出的一瞬间，差点没吐，不由得面目扭曲。

用手松了松制服领口的领带，呼吸好困难。由于持续过度紧张，已经没办法很好地呼吸。感觉不管怎么吸，都没办法把氧气送到肺里去。

“后面还有多少？”

环视一下四周。

银色的外壳密密麻麻。

被打倒的多鲁米斯人的数量，数到了10。后面已经不记得了，应该还没超过20。

老早已经达到了王牌主力的水平了。

可是，不管美加子一个人怎么努力，都已于事无补。

对于根本看不出有减少的多鲁米斯人的数量，美加子感到无力。

不会结束的战斗——不，结束正在确确实实地靠近。当最后的补给和有限的炮弹都用光时，美加子的战斗就结束了。

……总指挥官，这次我们不逃走吗?

飞行捷径锚点也好，靠自己力量的超空间引擎也好，这些都不管用了。而这个情况美加子也知道了。已经无处可逃了，而且也没人能来救我们。

……战斗，一直战斗到最后，把人类的骄傲展现给多鲁米斯人，对吗?

我不明白，指挥官到底在想什么?

我不明白，这样的战斗到底有什么意义?

美加子飞了出去。

保护“里希提亚”号的追迹者的数量已经急速减少到不足五十个，恐怕其他舰队的情况也都差不多。

美加子脱离了“里希提亚”号之后，冲到了战斗的最前线。

多鲁米斯人集结成一群攻击了过来。

把导弹、机关炮猛丢过去，迅速甩掉。

朝“里希提亚”号掉转方向的一瞬间，星空被一道巨光笼罩。

相互对峙的母舰和大型多鲁米斯人，用主炮开始了相互对攻。

美加子一时忘了自己的战斗，被这幅光景镇住了。

多鲁米斯人一方的最前列和舰队的九艘母舰几乎是一对一地面面相对，并相互用高输出功率的电波刀互砍。多鲁米斯人一方放射的红色电波和舰队一方放出的蓝色电波在半空中猛烈撞击，绽放出硕大的电光火花。双方简直像在比武一样，他们所放射出的电波刀都毫不留情，绝没有任何退让的意思。

大型多鲁米斯人的集团一边放射着电波刀，一边组成了横队阵形向舰队一方逼近。两军阵地的距离眼看着在不断缩小。

……会怎样啊？

多鲁米斯人一方到底要干什么？

缩短放射距离，这是为了要把电波刀的输出功率损耗降到最低吗？

一个让人无法相信的画面展现在眼前——多鲁米斯人继续缩短着距离，以至于近到无限接近于零。从远处看上去，敌人一伙已经贴到战舰的鼻尖儿上去了，看上去几乎已经合体了。而相互之间放射出的电波刀，好像要把对方包住一样在表面四处爬行。

好恐怖的画面！

事已至此，双方都已经无法动弹，其他战舰也没办法从两侧接近，恐怕最后首先耗尽全力的一方会受到致命的打击吧。

首先发出声音的是多鲁米斯人一方的一个。

他巨大的身躯通体开始闪光，在发出一阵令人炫目的光芒之后，就像一瞬间被充满了空气的气球一样膨胀起来，最后破碎为无数个光的粒子消散在黑暗之中了。

很快，在其他发生冲突的地方也有大型多鲁米斯人发生了破裂。

——太厉害了！舰队战胜了多鲁米斯人！

可是，就好像公共汽车上的空座一瞬间就会有人坐上去一样，多鲁米斯人一方等在后面准备出场的其他候补大有人在。而且，他们的候补可以无限制地补充。这是令人恐怖的消耗战！如果坚持不住败下阵来，整个母舰就彻底被摧毁了。

这是同归于尽的攻击！

可是，多鲁米斯人一方为什么一定要这样做呢？

大型多鲁米斯人正在不间断地被消灭。如果战斗一直保持现状发展下去，舰队一方就有可能会逆转，出现胜利的可能性。

——也许我们会获胜！

本来已经绝望了的战斗，看到了逆转获胜的可能性。

——好嘞，接下来只要保住“里希提亚”号就可以了。

美加子再一次冲到了最前线。

虽然很不好对付，但最终还是干掉了两个摆脱出来了。不过转瞬之间，情况突变！

多鲁米斯人一方的候补已经只剩下为数不多的几个了。这虽是好事，但舰队一方的状况也看起来不妙。

本应该是白色的星际宇宙战舰的表面，现在都被烧得通红，好像耐热装甲已经到了极限。

——拜托！撑住啊！

美加子的祈祷并没有奏效。

星际宇宙战舰中的一艘，最终还是开始融解了。

表面的耐热装甲开始融解剥落，一瞬间燃起大火，紧接着伴随着剧烈的火光，战舰发生了猛烈的大爆炸！

“啊！坠毁了！”

噩梦连锁发生。

已经达到极限的旁边的战舰，被爆炸飞溅的碎片袭击，紧跟着也被引爆了。

“啊！战舰全部要沉了！”

排成一排的舰队就像多米诺骨牌一样一个接一个地爆炸，连一分钟都不到的时间里，全部灰飞烟灭了。

当火光的洪水流尽时，还幸存在这个静寂的空间里的，唯有敌人一方的大型多鲁米斯人和毫发无损地居于后方的“里希提亚”号了。

旗舰“里希提亚”号，失去了前卫，与对方决一死战。

大型多鲁米斯人毫不犹豫地大举进攻而来。

多鲁米斯人单纯到愚蠢，一定还是用同样的进攻方法。

——“里希提亚”号也要被干掉了……

——不行！已经受够了，已经太多了！这样我们就都死定了！

美加子哭了。

一边哭一边向“里希提亚”号靠近。

——我来保护“里希提亚”号！

跳上“里希提亚”号上部甲板的美加子，正面相对注视着正在接近的大型多鲁米斯人。

擦干眼泪，调整呼吸，等待。

“里希提亚”号将船舷两侧排列的电波炮的炮塔推出来了。

几乎是同时，“里希提亚”号火力全开放出了电波炮，而大型多鲁米斯人也放出了电波炮。

美加子点燃了助推器。

朝着最后面的大型多鲁米斯人，急速冲了过去！

察觉到了美加子的突袭，单体的多鲁米斯人一个个站出来阻挡。

美加子把所有的导弹和炮弹都发过去，把眼前的敌人清除了。

她巧妙地躲开了大型多鲁米斯人发射的电波炮，对于用导弹和炮弹都没能打中的单体多鲁米斯人就用光波刀伺候！美加子充分发挥了她惊人的运动能力和反射神经，向大型多鲁米斯人逼近。

可是，美加子也并非毫发无损。

敌人的应战是极端激烈的。她被前来阻挠的单体多鲁米斯人用电波炮打中了好几次，最终装甲被打破了。紧接着，一只手臂也被砍下来了。

一时失去平衡，眼看就要失控。把一侧已经空了的导弹发射器甩掉，才重新站稳。操控瓦斯的储气瓶里剩的也不多了。

——已经不需要了。

已经彻底没电了的电磁装甲用的充电电池也丢了。

把不需要的东西一个接一个地丢掉，减轻操控的负担，轻装上阵。

大型多鲁米斯人已经近在眼前。

前方已经没有任何障碍了。

只剩下正面屏幕和机载电脑的电源，美加子把机内的电源开关逐一都关上了。

瞬间的静寂。

操作间笼罩在黑暗当中。

——就现在！

美加子放出了最大功率，拔出了最大最长的光波刀。

把刀举到面前，把助推器开到最大马力冲过去，向大型多鲁米斯人的背后直砍下去！

一刀一直砍到尾部的喷射口，把这个巨大的身躯沿纵线劈开的同时，追迹者的燃料也彻底用光了，供给光波刀的电也彻底没有了。

追迹者只是按着惯性的方向，从大型多鲁米斯人身边滑开了。

在她背后发生了爆炸，那是最后一个大型多鲁米斯人被消灭的瞬间。

攻击、防御、移动，几乎所有的功能都丧失了的追迹者，失去了一只手臂，一副悲痛的样子在宇宙中孤零零地飘浮着。

美加子筋疲力尽地瘫在座椅上，闭上了眼睛。

——阿升，美加子活下来了哦。

溢满眼眶的泪，从她闭紧的双眼流了下来。

2056年3月　埼玉宇航自卫队基地

我坐在出租车上，内心陷入混乱。

真是各种各样的混乱。

半夜深更就突然把我叫出来。

明明去舰队服役还应该是很久以后的事情。

我好不容易回趟家，这才刚到家。被家里人这顿数落。

让我去的地方并不是位于东京都内的联合国宇宙部队日本分部事务局，而是埼玉宇航自卫队基地。

最重要的是节目里播放的那条新闻速报。

据说在天狼星发生了战斗。“里希提亚”号舰队和多鲁米斯人的军团发生了全面冲突。结果“里希提亚”号舰队获得了胜利，但出现了大量的人员牺牲。

这是来自行星阿加尔塔的最初报道，信息错综复杂。

我还想进一步了解详细的情况，一直开着电视看新闻节目，结果就在这个时候被叫了出来。在出租车上我还在继续认真地收听广播里的新闻。

最让我担心的还是那句有大量人员牺牲，接下来的报道就在说所有的战舰当中只有“里希提亚”号平安无事，而其他九艘战舰已全部被击毁的事了。我的情绪一下子跌入谷底。

但是白天我才刚刚收到长峰发来的邮件啊。

正式的幸存者名单还没有公布。本来当初入选队员的名单都没有公开发表过，所以就算有消息传到联合国宇宙部队来，恐怕也不会对社会公开发表吧，只能通过幸存的队员各自发出来的邮件获得信息了。

这样一来，各个媒体都纷纷开始发表各自调查出来的幸存者名单了。

竖起耳朵听到的，目前为止还没有美加子的名字。

手机也始终没动静，这也让我非常担心。

唯有美加子的母舰是“里希提亚”号这事，能让我些许心安一点。

到达基地后，我被带到了总部主楼。

这里也是到处乱哄哄的样子，被呼来喝去的职员们左来右往。

我被带去了一个好像会议室的地方。有将近二十个左右的职员拿着文件穿梭在各张桌子之间。我发现这里好像是各种信息聚集的地方。

我忐忑不安，却安静地站在一个角落里。

可是，是谁叫我来的呢？

我用心听了一下职员们嘴里说出的一些词，好像是要去营救什么的。具体情况是联合国宇宙部队收到了来自“里希提亚”号的请求，并决定派遣紧急救援队去营救。

可是，等一下！

虽然是刚刚得到的消息，但交战已经是八年零七个月前的事了。现在才派出救援队，会不会太晚了一点呢？就是有机会获救的人恐怕也救不了了啊。

不过，我认真地又听了一会儿，明白了原来还是有些情况下是可以进行救援的。

比如当“里希提亚”号陷入不能航行的状态，幸存者在“里希提亚”号内部或卫星阿加尔塔上以求生方式生活。还有，“里希提亚”号虽然是可以航行的，但是亚光速引擎发生了故障，无法抵达太阳系。

可是，无论是哪种情况，信息没有得到确认的话，就没办法采取行动。

开始整理信息已经过了后半夜三点了。

到了这个时候，那个把我叫到这儿来的人，终于得到空隙想起来他叫我来这件事儿了。

"哎呀，你是定下来要上舰工作的寺尾升君吧？"

跟我打招呼的中年男子，穿着黑色的衣服。

我在想会不会他就是美加子提到的那个代理人呢？

正如我预测的那样，他们希望我能够作为救援队的一员马上投入工作。

"那么……"

我问去哪里，回答是虽然暂时还不确定，但总之要从月球表面的基地出发，所以先乘上这边的航空飞机去月球再说，马上出发。

我又问为什么还不知道最终去哪里，他面露难色。

"从天狼星发回来的电波信号状态不太好。虽说现在可以断定"里希提亚"号已经以亚光速航行在返程的路上了，但因为杂音导致信号好像被虫子蛀了一样，最关键的是她们要去哪里也完全不知道啊……"

"可是，如果在太阳系内的话，基本上每颗卫星上都有基地吧？"我这样继续问。

"如果是那样就不担心了，我们是按照最恶劣的情况来派出救援队的。"他的回答我好像听懂了，又好像没听懂。

"那么，我们等着她们下一次联系不就行了吗？"我继续问他。

"'里希提亚'号已经出发了哦！你在大学的时候没有

学到过吗？在亚光速航行过程中是无法进行通讯的啊。你应该是作为通讯工程师派到舰队里来工作的没错吧？”我真是搬石头砸了自己的脚。

连去哪儿都不知道，这真的是去救援的吗？

总之，我必须紧急前往月球基地了。

就这样被追着赶着，我被塞进了驶向发射台的面包车。

就在这个时候，我手里唯一的行李——我的手机——响了。

那是长峰发来的邮件。

2047年9月「里希提亚」号

被一阵嘈杂人声吵醒，美加子睁开了双眼。

周围是明亮的，可以确定这里不是追迹者的操作间。

“啊，醒过来了。太好啦！太好啦！先不要动，你没什么外伤，所以如果你想坐起来，当然也没问题。”

站在床边的里美在说话。

“啊，里美姐，你没出事太好了。”

美加子一边打量着四周一边说道。这里好像是“里希提亚”号舰内的医护室。摆着几张简易病床。

“你是睡糊涂了吧？我当然没事了，要不然是谁把你的追迹者回收回来的啊？”

“是这么回事啊，我不记得了……”

“是不是医护人员给你镇静剂打多了啊？不过，你还是遵守了我们的约定的，谢谢你！”

“约定……？”

美加子一脸茫然。

“你这家伙，已经不记得了吗？哎呀，不是说好了如果没事就马上互相联系的嘛，都担心死我了。一开始我还可以在屏幕上看到你的动向，可是后来特攻开始之后，不管我怎么叫你，你都没回答对吧？真的，担心得不行啊！”

“对啊，那是因为要省电，所以把通讯线路都切断了……可是，真的都结束了吗？我看见还有些单体的多鲁米斯人活着，当时很担心的。”

“我去回收你的时候，你晕过去了，难怪你什么都不知道。多亏了你啊，最后那个大家伙被干掉之后，所有小的也都夹着尾巴一下子不知道都逃到哪里去了。总之，一定要谢谢你啊！而且，我们能保住性命也……”

里美说到这儿，紧紧地咬住了嘴唇。

“你守住了‘里希提亚’号，真的谢谢你！如果‘里希提亚’号也被击毁了，那可就彻底完蛋了。接下来我们就像鲁滨孙漂流记那样，在阿加尔塔一边过着求生生活，一边等待地球派来的救援吧。”

里美紧紧地握了一下美加子的手。

“我只是想让自己活下来而已……有多少人活下来了？”

“操纵战舰的操作人员活下来的，当然就只有‘里希提亚’号上的所有人了。追迹者的操作人员，其他舰上的全部都回收到我们舰了——这样一共是一百七十二人。可是我们这边加上后备的停机库房在内，舰上一共只能停得下一百三十个追迹者。所以虽然很可惜，只能从破损状况比较严重的开始废弃了一些。当然，您的爱驾也……”

大概一千人的操作人员，只剩下一百七十二人了。

这个数字的急剧减少，再一次让美加子感受到了这次战祸的严重。

“接下来我们会怎样？”

“这个嘛，这就要看总指挥官怎么决定了。根据他的判断，有可能我们会暂时撤退吧。虽然任务还没有完成，但根据目前的状况来看，继续接着去考察好像没戏了。而且，如果我们再次跟对方偶遇，恐怕又要重复上一次的悲剧了。而如果我们再战的话，肯定是全军覆没了。”

“就是说，我们可以回家……了吗？”

听了里美的话，美加子萌生了希望的萌芽，突然兴奋地提高了嗓音。

“也许吧，也只能这样了吧……”

里美耸了耸肩。

洛克莫夫总指挥官出现在选拔队员面前，这是个特例。

虽然说明会选择了餐厅作为会场，但因为这次还加入了其他战舰上的操作员，所以空间依然显得有点局促。所有的桌子都被撤走了，却还是摆不下够所有人坐的椅子，还有很多人是站着的。

除了躺在医务室的伤员，几乎所有的操作员都出席了。

美加子也被里美搀扶着去参加了。有很多人都是生面孔。战斗的疲劳和失去了很多同伴的悲哀，让这些来自于各个国家、各个人种的年轻女性们神情消沉而阴郁。

“首先，我要为在这次战斗中献出了宝贵生命的队员们表示哀悼！”

洛克莫夫指挥官环视了一下会场，开始用日语讲话了。

“接下来，我要对各位在这次战斗中的英勇表现表示衷心的感谢！你们都非常的勇敢善战，正是你们的努力，才让我们的舰队获得了胜利！”

稀稀拉拉地，响起了冷淡而疏落的掌声。

“可是，舰队还是付出了巨大的牺牲。很遗憾，目前舰队继续完成任务已经变得极为困难。我以舰队总指挥官的权限，决定尽快撤退。”

餐厅里响起了热烈的掌声和欢呼声，被一片喧闹所包围。

“在伤员当中，有一些需要争分夺秒接受治疗的重伤员，所以我们‘里希提亚’号将立即向地球返航。但是，返航的路程需要花很长时间。在这次战斗中，‘里希提亚’号也受到了轻微的损伤，所以无法采取那些会对舰体带来负担的航行方法。于是，我们决定向地球请求救援。向地球发出的求救信号需要花费八年零七个月的时间才能够抵达地球，我们将充分利用这段时间尽可能地向地球方向移动。在航行电脑的援助下，已经确认我们可以抵达位于天狼星和地球连线上的锚点标记‘天狼星航线 α’。‘天狼星航线 α’距地球有二点一光年的距离。这样，我们将用八年零七个月的时间走完六点五光年的距离。然后根据相对论原理，在亚光速航行过程中，舰内经过的时间包括加速、减速期间在内大概是四年。出发就在三小时后，我们战舰的机组人员将立刻开始航行准备。你们大家在出发前可以自由活动。那么，就这样……”

洛克莫夫指挥官只是简单扼要地讲了要说的事，便匆忙离开了餐厅。

二十四岁的阿升。

我是十五岁的美加子哦。

我想你一定听说发生在阿加尔塔的交战了吧？

我还活着哦！

而且现在非常开心。

因为，我一直一直祈祷的，返回地球的日子终于定下来了耶！

当你收到这封邮件的时候，美加子已经在一个叫做“天狼星航线 α”的锚点了。

从那里到地球，应该有救援部队来接我们吧。

终于可以见面了啊，阿升！

等我们见面了，美加子有件事情要当面告诉阿升，一件一直一直很想对你说的事。

可是，在邮件里可不能告诉你哦！

“里希提亚”号马上就要出发了。

二十四岁的阿升，你现在在哪里、在做什么呢？

我决定，返程之旅这四年，为了消磨这些寂寞时光，美加子就每天在想象二十四岁的阿升中度过。

下次我们见面的时候，美加子的主观年龄是十九岁。

我会变成一个怎样的女孩呢？答案将在下次见面的时候揭晓。

那么再见了！

来自现在还是十五岁的美加子

2056年4月　救援舰

八年的时间，似短却长，特别是在科学技术的领域里。

说到宇宙部队的月球基地，之前读防卫大学时为了研修来过两次。一次是读了研究生之后，作为研讨小组指导教授的助理的跟班来过一次。还有一次，就是上升为教授助理之后又来过一次。而亲眼看见新型的星际宇宙战舰，是读研时作为教授助理来月球旅行时第一次看到的，那之后到现在还不到一年时间。

那时候，只是按照张贴在飞机停机库墙壁上的观光客人专用参观线路，从架设的栈道上向下俯视了一下。对于为什么把我们当做普通游客对待，连进入内部看一下都不行一事，我一直觉得很不甘心。

可是，现在我却可以作为一名乘务人员登上这艘新型的宇宙战舰，就好像一下子梦想成真了。所以当实物出现在眼前时，不由得看入了神。不过我想不会有人因为这个怪我吧。说实话在登舰前那两三分钟，我甚至把长峰也忘到九霄云外去了。

新型的星际宇宙战舰和之前的型号相比，看上去要小了一圈，但内部的居住空间反而扩大了。这是因为驱动系统得到了大幅度的改良，变得更加小型化、高性能化了。因为引擎动力得到了提升，所以启动超空间引擎的可到达距离有了飞跃性的提高，一次传送最远可以跳跃超过三光年的距离。

另外，如果说到最新技术，那就要说到在星际宇宙战舰上尚处于开发阶段的超光速通讯系统了。

作为通讯工程师的辅助人员而被招募的我，应该有机会接触到这个最新的通讯系统吧？还没登舰我就开始激动起来。

在战舰出发准备工作完成之前，我被引见给这次同去的乘务人员的老手们。

这次新加入的只有我和几个医护人员，而其他的成员都是那些在太阳系来来回回几十次的老手。

在等待的时间里，我领了舰内服和换洗的内衣等日常生活用品。一个叫做汉斯·斯坦纳的德国通讯工程师给了我一本带有舰内向导图的小册子，并告诉了我一些舰内生活的大致规矩。虽说我们是去救援的，但感觉上就像是跟家人一起出门旅行一样兴高采烈。

我是前一天晚上被叫出来的，仔细想想到现在还没闭过眼睛。可是肾上腺素一个劲儿地分泌，人已经头重脚轻直晃悠了，却完全找不到困的感觉。

出发的准备全部完成且允许我们登舰已经是当天的傍晚了。

等我想起自己此行真正的目的，已经是离开月球基地一周之后了。

新型星际宇宙战舰，朝着火星轨道和木星轨道中间的区域，即超空间引擎无限制区域航行。虽说是救援队，也必须遵守安全航行的相关规定。

在这段时间里，我为了记住舰内的一些规矩和学会那些派给我的工作而疲于奔命。

当然，也可能是因为在年龄上我是所有乘务人员中最小的毛头小子，也可能是因为在航行中也没什么特别需要做的，所以那些老手们就故意戏弄我，强加给我一些有的没的的事情做并以此为乐。

关于战舰、乘务人员和工作，大体情况我都基本了解了，老手们也渐渐玩腻了，不再没事找事地叫我了，我终于可以在我本来应待的地方——通讯室里安稳地待着了。

我很担心“里希提亚”号。

通讯室是舰桥里划分出来的一个区域，这里可以比其他部门更优先地共享所有集中到舰桥的信息当中的一部分，从多个舰载观测器得到的数据也包括在内。我在想也许可以调出确认“里希提亚”号目前所在地的数据，做了各种各样的尝试，也试着请教了斯坦纳前辈。可是，很遗憾，在我们的战舰上并没有装备具有足够精度的观察设备可以确认两光年以外的移动物体。

搞不好对方已经早于预定时间到了见面地点，此刻心里正在焦急不安地嘀咕怎么救援还不来呢？因为产生了这样的想法，再加上我还是见习，没什么工作，就会觉得这种闲极无聊的时间分外漫长，让人无法忍受。

也不知道都是从哪儿听说的，战舰上那些老手们都知道了长峰的名字。

结果他们聚在一起故意逗我。

他们故意纠缠我说，如果是你女朋友的话，你应该有她的照片吧，拿出来给我们看看吧。我反驳说根本不是那样的，可是当天长峰的照片就在舰内被传阅了一圈。

哎，因为都属于同一个舰队，所以只要想看的话，从哪个电脑终端都可以很简单地调出长峰的照片。可是他们竟然把长峰的照片打印了出来，所有人都看过一圈之后，最后送到了我这里。那照片好像是长峰刚入伍时拍的证件照，她还穿着初中的夏季校服。

其实，长峰像样的照片我一张都没有。初中毕业相册的班级合影里，因为她是在毕业前离开的，所以也没有她的身影。和其他转校生一样，在同一页的角落里用一个小小的圆圈围起来的、看起来很没诚意的照片，那是我手头上长峰的唯一一张照片。我想那本纪念相册现在恐怕和我的毕业证一起长眠在老家柜橱里或某一个纸箱里吧。

是啊，自从我住进了防卫大学的学生宿舍之后，就再没看过那本毕业相册。

所以在毫无心理防备的情况下，突然遭遇了长峰的大头照，我有些不知所措。

在那张拍得很清晰的照片上，长峰显得有点紧张，表情很僵硬。

经过漫长的时间再次出现在我面前的长峰，看上去稚嫩得让人心疼。

再有几天，我就可以见到活着的、真的长峰了。

看见比这照片上的女孩长大了几岁之后的她。

久违的长峰的样子，让我再一次真实地感受到过去九年时间的漫长和沉重。

出发以来第十天，终于到达超空间引擎无限制区域了。

第一次体验超空间引擎。

其实对于一切来说我都是新手，在舱内发生的事情对我来说都是第一次，但超空间引擎的体验在这其中有着特别的新鲜感。

瞬间传送完成后，马上就有工作等着我了。

那就是确定“里希提亚”号目前的所在位置，以及跟“里希提亚”号联系，告诉他们我们已经到了。

“里希提亚”号很快就找到了。

它正朝着见面地点“天狼星航线 α”，进入最终减速状态。

预计抵达日是五天后，比“里希提亚”号设计的航行计划晚了三天。

从八年零七个月的整个旅程来看，这只是一个小小的误差——总之没有让她们等太久，这真是太好了！

离预计抵达日还有三天的时候，终于和“里希提亚”号取得了联系。“里希提亚”号的舰长、总指挥官和救援队队长之间，进行了频繁的通讯联络。接纳的准备工作正在按部就班地向前推进。

可能有点沉不住气，我尝试着给长峰发了一封邮件。

我已经可以确定长峰所在的位置，邮件万无一失一定会送到的。我本来是打算忍过这几天，然后突然出现在长峰面前，给她一个惊喜。但如果那些老手们抢先把我在这儿的事给抖搂出去的话，好不容易的久别重逢搞不好也会被他们给毁了。

长峰：

我已经很久没给你发过邮件了，我想你一定很吃惊吧？

你说你们决定返回的邮件，我收到了哦。

我有好多话要对你说啊，但我想把它们留到我们见面时。还有，对我来说真的是很久很久没给你写过邮件了，到底该怎么跟你说，我自己也有点不知所措。

我现在二十四岁了，长峰你只有十九岁。

该怎样跟十九岁的长峰进行交流呢？这个我真的不知道。就像一直待在“里希提亚”号里的你每天都在想象着二十四岁的我一样，虽然时间不长，但二十四岁的我也曾每天靠想象长峰而生活。

在我看来，这将近九年的时间里长峰一直都是十五岁的样子、一直是十五岁的感觉从来没有变过，可现在突然要变成大人回来了，我想我有点混乱也是很正常的吧。不过，其实这些都无所谓。

只要我能再见到你，我想这就已经是个奇迹了。

我该跟十九岁的长峰说些什么呢？这问题等见到了再想也不迟。

总之，再见的日子很近了。

应该近到让你大吃一惊。

我有绝招……寺尾升

阿升：

我是十九岁的美加子哦。

无聊的日子，马上就要结束了。

昨天，我收到了阿升你发来的邮件。

我还在“里希提亚”号上，怎么会收到你的邮件呢？我觉得非常不可思议。

不过，在这之前，我首先觉得非常地高兴。

因为我曾经以为十五岁的女孩给过去的同学发的邮件什么的，二十四岁的阿升是不可能很认真地放在心上的。

对我来说只是一瞬间，可是你用九年的时间，耐心地陪伴我度过了十五岁的每一天，谢谢你！

也许我还没办法追上二十四岁的阿升，不过我也用了四年时间，在“里希提亚”号中长大了。

现在的我是十九岁。

其实昨天我想马上就给你回信来着，不过我很混乱，结果到最后还是没办法立刻给你写回信。

阿升的邮件里充满了谜团。

至少，你要写上你现在正在干什么啊，这样就比较容易想象二十四岁的阿升了，可你却……

还有，你说的绝招是什么啊？

明天，应该就会和救援舰会合了。

为了准备这个，我也在忙碌地工作。

问一个问题，十五岁和十九岁，阿升你想见哪个美加子啊？

我好想见二十四岁的阿升啊！

和救援舰会合之后的计划还没有定。

保持联系啊！

来自混乱的十九岁，美加子

2056年4月　天狼星航线α

寺尾升多少有点后悔了。

他太小看一百七十二人这个接收人数了。

原本想把和美加子的再会帅气地定格在一个戏剧化的画面上的，可是现实并没有如愿。

一旦两艘战舰实现对接，建立了连通闸门，开始接收工作，便有大量的年轻女孩子如潮水般波涛汹涌地一拥而入。

我的房间在哪儿啊？能不能给我拿点喝的啊？她们抓住了年轻的阿升，以指使他干这干那、提出各种无理要求为乐。

接收工作开始两个小时，包括搬运伤病人员在内，所有追迹者操作员共计一百七十二名，好不容易全部接收完毕。可是完全还是一片乱哄哄，看起来一时半会儿安静不下来。

反正你是新人，所以根本不管你的本职工作是通讯工程师，带人去空房间！把舱内服送过去！去把要洗的衣服收上来！顺便帮我揉揉肩！……老资格的队员随意地使唤着阿升。

何谈寻找长峰的身影，简直就像无头苍蝇一样只是在舱内一个劲儿地乱跑，连休息一下的时间都没有。当然，也想着在这混乱当中会不会遇到长峰呢，于是对擦身而过的女孩每一个都认真确认过……

有一个前辈看着这样的阿升实在觉得于心不忍，就喊他过来休息，并请他喝了一杯自动贩卖机里的罐装咖啡，真是难得。

阿升接受了前辈的好意，来到走廊里设置的自动贩卖机旁，坐在了长椅上。

——长峰，你到底在哪儿啊？

他一副可怜的样子，咽下一口咖啡。

为了让长峰看见自己最帅的一面，阿升还特别起劲地穿了宇宙部队那身雪白的制服，结果裤脚已经皱了，还雪上加霜地沾上了污渍。

为了让自己呼吸舒服一点，还把立领的挂钩解开了，这样看上去更加邋遢了。

——哎，也不用着急了，人一定已经在战舰里了。

又喝了一口咖啡舒了一口气，就在这时，手机响了。

那一定是长峰，却是前所未有的超短一句话。

阿升：

我在这里哦！

来自问“秘诀是什么？”的美加子

阿升吃惊地抬起头，向四周张望。

“在这里哦，阿升！”

这是熟悉的、令人怀念的声音。

在走廊的尽头，有一个女孩正凝视着这边。

她穿着护士的制服。

她摇摇手上的手机示意，缓缓地朝这边走来。

“我们终于见面了，阿升。”

长峰美加子微微笑了。

“啊……”

害羞得不敢直视。

“长峰，你长高了啊！”

本想说些机智的话语，却什么都想不起来，结果问出这么一句可有可无的话。

“长了五厘米呢！不过，体重和三围的增减就不能告诉你了！”

长峰变了，却又一点没变。

这感觉让阿升松了一口气。

2056年5月　台阶上

刚入伍就能请下假来，而且是调休和黄金周连在一起，这真是做梦也没想到。提出休假申请也只是抱着试试看的想法。

但是，不得不从刚发下来的第一个月的工资里挤出返回地球的交通费，这还真让人心痛。

舰队的工作已经适应了很多了。话虽如此，那艘新型星际宇宙战舰，自从上次救援之后还没有再上去过。这期间一直都在月球基地接受培训，开始舰上工作按计划是在进入六月之后。

说到长峰，她和其他同期入选的队员一样，暂时退伍离开了舰队。

至于接下来怎么办，她说她要回老家一边好好休息，一边认真去想。也许还会申请回舰队工作，但追迹者的操作员这活儿是不会再干了。听说洛克莫夫指挥官对长峰的技术给与了高度评价，觉得她不再做了非常可惜，曾再三挽留她。

其实从那时候她穿着护士的制服这件事上也可以察觉到，她说如果同样在舰队工作，她更想做护理人员。从阿加尔塔回来的路上，为了打发无聊的时光，长峰就去给医疗人员和护理人员帮忙。当然她没有什么资格证书，但实际业务已经通过四年时间完全吸收掌握了。

她也说为了拿到医疗相关的资格，去上学也是个不错的选择。

总之，长峰在户籍上的年龄是二十四岁，但主观年龄却是十九岁——可以说现在开始学什么都足够年轻。

换一个完全不同的话题，第二批多鲁米斯人考察队成员的招募还没有开始。

好像计划正在进行重新讨论。

听说这一变更正是因为听取了参加过阿加尔塔战斗的长峰的报告而产生的。

长峰在阿加尔塔所看到的幻象，还有那句“想要托付给你们”的口信，到底该怎么理解呢？……当然，如果这只是发生在长峰一个人身上的话，就只会被当做是做梦或幻听处理吧，可是在战斗开始前很多操作员都经历了相同的体验，得到了相同的口信。

确实，在阿加尔塔曾经爆发了一场空前激烈的交战，但多鲁米斯人是否真心要与人类作战，这留下了一个疑问。据说事后对记录战争整个过程的影像进行分析发现，多鲁米斯人并没有彻底战斗。

也许多鲁米斯人是出于完全不同的理由和目的来谋求与人类的接触的。

一些媒体工作者私底下议论纷纷，有可能从最开始的出发点就搞错了。

他们说多鲁米斯遗迹的爆炸，恐怕是因为人类触碰了遗迹里什么不可触碰的部分而引发的悲剧，多鲁米斯人的出现也可能只是因为偶然或者完全是为了其他目的。

对外公布多鲁米斯人发起了攻击，也只是想从政治上利用这一事件的势力所进行的捏造或是对事实的歪曲……

当然这种传言或报道也不是说当初就完全没有，但受法律的制约，采访内容受到了限制，当时没能完全弄清楚事实的真相。现在第二次与多鲁米斯人之间发生大规模的接触，人们开始怀疑这十几年来我们对待多鲁米斯人的方式“是不是搞错了”，而从源头开始重新审视的趋势在日益高涨。

于是新闻记者们进行了细致缜密的采访，从当年证明那是“事故说”的相关人士那里一点点挖出了证词。才发现这一切难道不是美国政府为了在建设和运营联合国宇宙部队的过程中能够把持主导权，为了可以独占多鲁米斯人先进的科学技术而谋划出来的一出闹剧吗?

假如把他们的口信“想要托付给你们”这句话按字面去理解的话，就变成他们多鲁米斯人正在邀请我们人类去更遥远的宇宙。而且，是作为银河系宇宙的伙伴在欢迎我们。可是，多鲁米斯人为什么没有尝试用更友好的接触方式呢?不——也许多鲁米斯人是友好的，而我们的态度是顽固的，是我们过度恐慌才会引发了那么不幸的邂逅吧?

“成长为一个大人是需要一些痛苦的……”

也许和多鲁米斯人的接触本身，就是人类成长为大人的一个考验，而那次接触引起的混乱和所带来的牺牲就是多鲁米斯人所说的痛苦吧?

是不是只有克服了他们带给我们的考验，人类才会得到认可，才会成长为达到宇宙水平的大人?

作为对多鲁米斯人考察计划进行重新讨论的方向，第二批考察队比当初的计划缩小了规模，其目的也被限定为主要是对阿加尔塔进行环境调查和遗迹挖掘。其名称也最终尘埃落定地改成了听起来比较克制的“第一批阿加尔塔遗迹考察队”。

真实情况还不为人知。

全世界的人们依然生活在紧急状态下，多鲁米斯人对人类来说还是一个威胁性的存在——这些并没有改变。

一边跑上水泥的台阶，一边任由各种回忆在脑海里萦绕。

长峰告诉我她被选上了的那个夏天的黄昏。

怎么等也等不到长峰发来的邮件，却一直在等的那些日子。

虽然很不礼貌，但还是甩了比自己年纪小又长得漂亮的女朋友的那个下雨的秋日。

把心紧紧地封上，发誓要成为一个大人的决心。

这一切的一切，都是在这里，无法忘却的记忆。

经过九年的时光，我们都已长大成人，我经历了九年，长峰经历了四年。

我们彼此在完全不同的环境里，面对着不同的磨练，或者超越过去，或者避让过去，我们都各自成长为大人。

而且，我们通过相互的祝福，奇迹般地在宇宙再次重逢了。

救援舰返回月球所用的十天时间里，我们废寝忘食地交谈，一口气填满了九年的空白。不过话说回来，这些都只能利用见习工作的空隙，还要把那些老手们在这个空隙里强派给我的那些难题都解决掉。我仔细地盘算着终于恢复了自由之身的那么一点点的时间跟长峰在舱内进行约会。找到可以两个人单独相处的地方也吃了不少苦头。

有一点还跟以前一样完全没有变，那就是很快长峰就专门负责说，而我专门负责听。

最开始的两三分钟，我们还不能很好地掌握彼此成长之后跟对方产生的距离感，还像陌生人一样很客气地讲话，但等回过神来却发现我们很自然地回到了跟过去一模一样的角色分配。

我专心致志地负责听，而时隔九年再次传入耳朵里的长峰的声音，听起来就像音乐一样令人心旷神怡，我陶醉其中听入了神。

在月球基地，我们就无奈分开了。长峰坐航空飞机返回地球了，而我则要留在基地，继续从事舰队上的工作。因为这次的紧急召集，把我入伍前的所有休假都用完了。

时隔一个月的再次相逢，还是在两个人出生长大的充满回忆的老家，而且也不用担心工作或多嘴多舌的人的干扰，真是完全无拘无束的一天。我定了碰头的地方，但也不知道那个地方现在还在不在，多少有点不安。之前的六年一直都住在宿舍里，完全没机会闲逛到这条路上来。

可是，就在我爬上楼梯的那个地方，公车站那个预制板搭建的小屋，简直就像是专门为了我们而抵抗了时间的流逝一样，顽强地等候在那里。

尽管它又多了六年的陈旧，几乎变成一间荒废的旧屋。

一个人都没有的街道上，凉凉的风穿街而过。

路边绽放的蒲公英的毛絮，被风吹动，四散飞向天空。

在小屋前我调整了一下步伐，静静地向里面看去，长峰已经坐在长椅上等候。

连衣裙和宽檐帽，让人想起初夏的装扮，雪白的手臂令人炫目。

不是剑道服、不是运动服，也不是校服，长峰穿自己的衣服，这还是头一次看见。看起来完全是大人了，简直要认不出了。

“我们去哪儿？”

“我想去便利店，吃冰淇淋。”

故意用小孩子语气说话的长峰。

“假装回到初中时代？”

“今天一天。然后明天呢，我们演高中时代……”

长峰站起身来，整理了一下裙摆。

“为了追上二十四岁的阿升，我需要时间啊！”

出了小屋，长峰迈步前行。

需要时间的，是我才对。

为了追上十九岁的长峰，我跟在她身后追了上去。

直到《星之声》送到为止
——文库版后记

搬家到这个离电车的高架线很近的房子，是2000年夏天的事。那时候我还在一家游戏公司上班，正是我刚写完《星之声》最初情节的时候。

从新家的窗子隔着一条很窄的马路可以看见对面房子的窗。那好像是一个初中或高中女生的房间，偶尔可以看见穿校服的身影一晃而过。而那扇窗基本上是对面那幢公寓很多扇窗当中，夜里关灯最晚的。

当我看到直到深夜还亮着灯的房间，就会想起十几年前我的学生时代。那个跟父母说声“我要学习了”便关上房门，当然并不会打开教科书，而是一边听着深夜广播一边读了很多外国科幻小说的、让自己的思绪在广阔的宇宙中任意驰骋的时代。那时候憧憬、不安和寂寞这些感情比现在都要浓烈，就好像可以用手触摸一样异常清晰地了然于心。我觉得在这样的深夜时分，从学校的朋友那里也好，从父母那里也好，平时听不到的某些重要的“声音”，此刻都可以传递到我的耳边。

从最初的情节到一年后的2001年的夏天，我终于辞掉了做了五年的公司，专心去完成《星之声》(在这里对不了解情况的读者做一个补充说明，我制作的原创作品《星之声》是一部二十五分钟长的动画片)。甚至要跟公司辞职来完成这样一个小故事的原因有几个，其中一个很重要的原因就是，这一次我希望自己能成为在深夜那个孤独时刻为别人送去“声音”的那个人。

2002年2月首次公开放映的影像版《星之声》很幸运得到了相当的好评，DVD也意外地创下了销售纪录。机缘巧合，这次又实现了小说版本的出版。原本只是作为一个单纯的自主制作的作品出发的《星之声》，能够如此幸运地一路走来，我非常感谢。

现在我正在写下这段文字的时候，对面房间的灯依然亮着。我不知道《星之声》会不会传递到那个房间去，但每当我在深夜看到那盏灯的时候，我都在认真地祈求“好想给某人送去我的声音”。

2002年初夏　新海诚

新装版　后记

当初第一次观看编辑作为资料交给我的原作动画《星之声》的时候，有三件事让我很吃惊。

第一个就是作为动画片它的品质之高，比如那些有震慑力的战斗场景以及流光溢彩的背景描写所展现的美感；第二个就是这样一部动画片竟然是新海先生他自己一个人完成的；最后一个就是这是一个富有诗情画意的完美的故事。

这个故事是以和外星人的第一次接触为背景的，但最主要的主题讲述的是被时间和空间割裂开来的少年和少女内心的交流和他们长大成人的成长过程。如果用故事这样一个词来概括的话，那就是超远距离恋爱故事。

虽然故事设定是扎扎实实的科幻小说，但是能够把所有人都吸引过来并让我们深有感触的，一定是因为手机这个让我们觉得非常亲近的物件，它在故事里承担了非常重要的推波助澜的作用。然而，只有文字，既不能传送声音，也不能传送画像的这部手机，却具备着超出现实中的远距离恋爱几万倍的约束力，它联系着也间隔着阿升和美加子。

还有一个应该专门为了让我们联系到日常生活而设计的形象，那就是美加子的服装。直接穿着初中校服去驾驶追迹者，这应该是很难理解和接受的，但作为画面出现在眼前时却并没有让人感到疑惑。非但如此，这样还很直接地把美加子的心境传达给我们了。

原作压缩了出场人物，作为短篇这让作品产生了精练的感觉。可是在进行小说化的时候，虽然我也知道会让这种精练的感觉钝化，但还是最小限度地配置了一些周边的人物，让整个故事丰满一点。在地球上无计可施地负责等待的阿升，被埋没在日常的时间流逝当中，沾染上太平无事的人际关系（当然，他觉得那样是不行的而试图封锁自己的心）。与此相对，奔赴异世界的美加子所处的环境中，强行地加上了没有男性气息这个束缚。

还有，原作是以两个人的声音跨越遥远的时空相互交错这样的精彩画面来结尾的，而本书在结尾的前面和阿升的绝招一起准备了软着陆的环节。虽然我知道这一定会受到指责，说这是画蛇添足。

……好了，大揭秘式的解说先放在一边，我希望大家能够喜欢这本改编成小说的《星之声》。已经是成年人的您如果也能沉浸在一种悲伤的气氛中的话，一定是在您内心深处的某个角落里，还珍存着初中时代那个纯真的自己……

最后，我作为一个粉丝真心期待着原作作者新海先生能够有更多的作品问世。

2009 年 11 月　大场惑

图书在版编目(CIP)数据

星之声/（日）新海诚原作；（日）大场惑著；
（日）边西岩译. —上海：上海译文出版社，2016.10(2017.1重印)
ISBN 978-7-5327-7297-1

Ⅰ.①星… Ⅱ.①新… ②大… ③边… Ⅲ.①动画—
连环画—日本—现代 Ⅳ.①J238.7

中国版本图书馆CIP数据核字(2016)第152562号

星之声
〔日〕新海诚 原作 大场惑 著 边西岩 译
责任编辑/赵平 装帧设计/柴昊洲

上海世纪出版股份有限公司
译文出版社出版
网址：www.yiwen.com.cn
上海世纪出版股份有限公司发行中心发行
200001 上海福建中路193号 www.ewen.co
江阴金马印刷有限公司印刷

开本787×1092 1/32 印张6.75 插页5 字数63,000
2016年10月第1版 2017年1月第2次印刷

ISBN 978-7-5327-7297-1/I·4442
定价：35.00元